絶対忘れない勉強法はないか、という、
たくさんの人からの質問に答えようと、
このテーマのリサーチを重ね、
その方法を見いだしました。

勉強しても

「頭に入らない」

「集中できない」

「やる気がでない」

「飽きてしまう」

「身につかない」

「すぐ忘れてしまう」

だから、

「勉強はどうも苦手だなあ……」

そう思っていませんか？

実はそれ、

勉強のやり方が

間違っているからなんです！

早速チェックしてみましょう！

あなたの勉強のやり方チェック

- □夜まとめて勉強する
- □テキストはスマホで読んでいる
- □パソコンやタブレット、スマホでノートをとっている
- □短期集中で取り組む
- □覚えたら即復習する

□やる気が出るまで待つ
□たっぷり食べてから勉強する
□眠くなったらコーヒーを飲んで眠気を覚ます
□勉強するのは、静かな部屋で、と決めている
□苦手なものから手をつける

いかがでしたか？
いくつチェックがありましたか？

では、次のページで結果をみてみましょう。

実は、これらはすべて「間違ったやり方」。

驚きましたか？

学生時代、先生や親、先輩たちから教わった、
「正しい勉強法」とされる方法があったかもしれませんね。

実は、私たちの脳や認知システムの性質からみると、
効果がなかったり、むしろ、
効率を下げてしまっているものもあるのです。

詳しい理由については、この本の中で説明していきます。
もちろん、正しいやり方もあわせて紹介します。
「え？ こんなのが効果あるの？」と思えるような、
面白い方法もあるので、ぜひ、やってみてください。

さあ、絶対に忘れない、正しい勉強法で、
効率よく、最大限の効果を上げて、
あなたの夢や目標をかなえてください。

応援しています！

はじめに

「先生、絶対忘れない勉強法ってありませんか？」

これは、ある学生から投げかけられた、非常に印象的だった質問です。
「絶対忘れない勉強法」ね。そんなものがあったら、とうに私がやっているけどね。
内心そう思いました。けれど、その質問が私の研究者心に火をつけました。

絶対忘れない、ということは、いかに正しく、効率よく、情報をインプットし、頭の中ですぐに見つかるようにわかりやすく整理し、必要なときにすぐアウトプットできるようにする、ということ。まさに、正しい勉強法ということなんですね。

そもそも、正しい勉強法ってなんだろう？　そんな疑問がわき上がりました。

学校では、勉強は教えてくれるけれど、勉強法は教えてくれません。
学校で正しい勉強法を教えてくれれば、みんなもっと勉強が好きになっただろうし、勉強で悩むこともなくなるんじゃないか、と個人的には思っています。先生も教えやすいし、学生も勉強がやりやすくなる。落ちこぼれだって生まれないかもしれません。みんなが幸せになるんじゃないかな。

ただ、今現在のところ、絶対的に正しいといえる勉強法はきちんと確立されていないんですね。勉強法を教えてくれる本はあるし、そういうスクールもあると聞きます。けれども、それが本当に科学的に正しいのか、となると、ちょっと怪しい。

そこで、私は、記憶術や適切な学習スケジュール、モチベーションの高め方など、勉強に関する世界中の科学論文のリサーチをスタートしました。心理学、脳科学、教育学、言語学など、勉強に関わる幅広い分野を網羅したつもりです。

勉強法に関する悩みを分析すると、

・勉強しなければいけない理由があるのに、なかなか手につかない
・勉強はしているけれど、集中できない
・勉強しても頭に入らない
・頭に入ったと思ったら、気がつけば忘れている
・勉強しようとすると、すぐ眠くなる
・ある程度は進められるけど、途中で飽きてしまう

といったところに落ち着くと思います。

問題は、おそらく「やる気」「集中力」「記憶力」といったところに収束します。ですので、この本では、みなさんの抱きそうな勉強法に関するお悩みに、この3つのポイントを軸にお答えしていこうと思います。

勉強は学生時代だけのものではありません。

自分自身の人生を振り返ってみても、学生の頃も社会に出てからも、常に勉強は大切な存在であり、おそらく、それは読者のみなさんにとってもそうだろうと思います。勉強は、人生を変えるきっかけにもなるし、無限の可能性をつかむチャンスにもなる。人生において、いくつになっても、勉強はあなたのそばにあり続ける存在なのです。

勉強をしていることが楽しいから勉強する、という人はまれだと思います。きっとほとんどの方が何か目的のために勉強をしていて、その目的達成のためにいかに効率よく、短期間で知識を身につけられるか、ということに頭を悩ませていると思います。

どうせ勉強するなら、絶対に忘れない、正しい方法で学びたいものですよね。その指標となるのが、「そのやり方には科学的に根拠があるか」です。

本書で取り上げる研究は、優秀な学者によって書かれたもの、学術誌で査読を経たもの（専門分野の学者による審査に合格したもの）がほとんどです。

たとえば、まだ若い方は、大人になっても勉強をする意義、必要性があまり感じられないかもしれませんが、2015年にハーバード大学のハーツホーンとジャーマンが4万8537人を対象に行った研究では、人間の語彙《ごい》力、知識、理解力、算数といった能力は、50代前後でピークに達することが明らかにされています。

——と、本編ではこのような形で、さまざまな研究結果と、そこから導き出される勉強法を紹介していきます。

なかには、一見、不思議な研究もあるかもしれませんが、そういった研究もすべて、実証研究に裏付けられたもので、試してみる価値がありそうなものだけを集めました。

ちなみに、この本のタイトルに「絶対忘れない」とつけたのは、「絶対忘れない」

と思うことがインプットには大切だからです。本文でも詳しく説明していますが、私たちの脳に「この情報は大切だ！」と認識させると、本当に記憶が定着するんです。

よく言霊といいますが、思いを言語化することのパワーはとても強いものがあります。心理学でも、「自己成就予言」や「プラセボ効果」、「コミットメント効果」などとして知られていますが、科学的にもその効果は証明されています。「絶対に忘れない」と自分の脳を意識づけさせることはインプットにおいて、とても大切なことなのです。

読者のみなさんや、未来の自分のためになるように、勉強嫌いだった高校時代の自分が「こんな本を知っていれば！」と思うような内容にするべく、思いの丈を込めて執筆しました。ぜひ、最後までお付き合いください。

この本が、今、まさに勉強をしている方、これからあらためて勉強しようとしている方、すべての人のお役に立てれば幸いです。

『絶対忘れない勉強法』目次

Chapter 1 覚えられないのですが、どうしたらいいですか？

Chapter 2

すぐ忘れてしまうのですが、どうしたらいいですか？

Chapter 3

やる気が起きないのですが、どうしたらいいですか？

Chapter 4 飽きてしまうのですが、どうしたらいいですか？

Chapter 5

効率が悪いのですが、どうしたらいいですか？

Chapter 6

成績が伸びないのですが、どうしたらいいですか？

Chapter 7

実力が発揮できないのですが、どうしたらいいですか？

Chapter 1

覚えられないのですが、どうしたらいいですか？

01

記憶効率が25％アップする勉強前の「10分散歩」

やるべきこと

勉強を始める前に10分歩いてみよう

脳機能を最大限に高めるカギは脳血流量が握っている

勉強法で気になるのは、やはり、日本一の学力を誇る東京大学や、世界屈指のハイレベル校といわれるハーバード大学やケンブリッジ大学の学生たちが、どういう勉強法をしているのか、というところ。

実は、**優秀な人ほど、四六時中机にかじりついて、がむしゃらにテキストを読みあさり、知識を頭にたたき込んでいるというわけではない**んです。

印象的なのは、**勉強を始める前や休憩時間などに、軽い運動や散歩をしている人が意外に多い**、ということ。私の周りの優秀な研究者や大学教授たちも散歩好きな方が多いです。

スティーブ・ジョブズの散歩好きは有名ですが、Facebookの創始者マーク・ザッカーバーグも散歩の習慣があるそうです。集中力や記憶力を高め、インスピレーションを豊かにし、インプットもアウトプットも最大化する、そんな効果があるようです。

では、なぜ散歩にそんな効果があるのでしょうか？

ポイントとなるのが、脳血流。**散歩によって、脳の血流がよくなり、十分に血液が行きわたることで、脳が活性化する**のです。

イリノイ大学のサラスらは、こんな実験をしています。

【実験内容】
被験者群を2つに分けて、名詞を記憶するテストを実施した。覚える前に、一方のグループは10分歩き、もう一方のグループは10分座って風景写真を見た。名詞を覚えた後、もう10分間、それぞれ同じ行動をしてからテストを実施した。

結果は、歩いたグループのほうが、座っていたグループよりも25％よい成績になりました。ちなみに、覚えた後の行動を、歩いたグループは風景写真を見るというように逆にしても、結果は変わりませんでした。

脳は酸素と糖分を燃料として動いています。酸素は、血液に乗って脳に運ばれます。ですから、**勉強をする前に歩いて体の血液を巡らせると、脳にどんどん血液が送られてエンジンがかかり、勉強の効率がアップする**わけです。

散歩に限らず、走ったり、泳いだりと、そのほかの運動でも血流量が増える効果は見込めると思いますが、疲れきって勉強をする気を失っては問題なので、体力のない方や運動が苦手な方は散歩から始めるとよいでしょう。

これは勉強というよりは、ひらめきや発明に類する話かもしれませんが、学者のみならず、私の知人の作家さんや漫画家さんなども、散歩や運動を習慣にされている方が本当に多いです。みなさんも、頭を使うために、体を動かして、脳に血液を送ることを意識してみてください。

まとめ

勉強を始める前に10分間散歩すると、脳にエンジンがかかり、勉強の効率がアップする。

02

インプットは風呂の中でする

やるべきこと☞

入浴中、湯船の中で暗記する

記憶力を強化する脳波の一種、シータ波

机に座って単語を覚えるより、お風呂に入って覚えるほうが頭に入って覚えられるな、と感じることはありませんか？ その理由が、お風呂に入ると気分転換になるし、集中力も上がるからだと思っていませんか？

実はこれには、**脳波の一種、シータ波**が影響しているんです。カリフォルニア工科大学のルティスハウザーらによる研究をご紹介しましょう。

【実験内容】

8人の被験者に100枚の写真を1枚1秒間見せ、15～30分後にさらに100枚を見せた。そのうち半分は新しい写真に変わっており、すでに見た写真はどれか、その答えにどれくらい自信があるかを尋ねた。

この質問をしたときの被験者の脳波を計測したところ、シータ波が出ているときに、海馬などの部位が最も活性化していることがわかりました。

また、東京大学の戸塚らは、海馬にシータ波が伝わると、ニューロンへの分化が促進されることを実験から突き止めています。

神経幹細胞という細胞が、脳を構成する神経細胞・ニューロンへ分化することを「ニューロン新生」といいます。１９０６年にノーベル賞を受賞したラモニ・カハールがニューロンを発見して以降、ニューロン新生は幼い時期にしか起こらないと考えられていましたが、**大人になってからもニューロンを増やせる**ことがわかったのです。

戸塚らの研究以前から、さまざまな研究によって「勉強するほど頭がよくなる」と考えられていました。つまり、科学的にも「勉強するほど頭がよくなる」ことは証明されていたのですが、ここで紹介した2つの研究によって、そこにはシータ波の働きがあることを解き明かしたのです。

シータ波は勉強などの作業に集中しているときに発生します。

そして、そんな**シータ波は、ソファに座っているときや入浴中などリラックスしているときにも発生し、増える**ことがわかっています。お風呂の中のほうが頭に入ってくるなあ、と感じるのは、そういう理由なんですね。入浴中はもちろんですが、お気に入りのソファに深くこしかけて、ゆったりとした気持ちで暗記するのもおすすめです。

お風呂の中でいろんな教材をそろえてバッチリ勉強するのは大変かもしれませんが、湯船につかりながら資料や暗記帳を見るのは、効果があるといえるでしょう。最近では、入浴中の読書をサポートする便利なアイテムや水に濡れても大丈夫な紙などもあるようです。ぜひチェックしてみてはいかがでしょうか。

まとめ

なかなか覚えられない内容のときは、勉強場所を机からお風呂に変えると、頭にスラスラ入ってくる。

03

スマホで読むより紙で読むほうが脳への定着率が圧倒的に上がる

やるべきこと テキストはなるべく紙の本にする

紙で読んだほうが理解度も高く、覚えやすい

「電子書籍は便利だけれど、どうも頭に内容が入ってこない」「電子書籍で読むより、紙の本で読んだほうが記憶に残りやすい気がする」「確実にインプットしたい内容の本は必ず紙の本で読むようにしている」という方。その感覚と選択、大正解です。

紙で読むほうが、スマホやパソコンの画面でテキストを読むより、インプットされやすい、ということは実証されています。

紙と画面というデバイスの違いに着目した研究を行ったのが、ノルウェーのスタヴァンゲル大学のマンガンらです。

72人の10年生（日本でいう高校1年生）を対象に実験を行っています。

【実験内容】

物語文と説明文の読解問題、単語理解問題（「housecareseafree」のように、つながった文字列を単語に分ける）、および語彙力の問題が出題された。物語文と説明文の読解問題は4週間後に事後調査も行った。テストは、紙とモニター上で見るPDF（1400～1600語のテキスト）とで実施された。

この結果、**紙で読んだほうが内容に入り込みやすく、理解度も高く、覚えやすい**という結果が出ました。

この論文によると、スクロールによって自分が読んでいる箇所の空間的な把握が難しくなることが、理解の障害になるとしています。もしかしたら、スクロールを必要としない短い文章なら、起こらない問題なのかもしれません。

とはいえ、文章を読むだけならPDFにネガティブな要素は少ないけれども、理解については紙のほうがよいとマンガンらは結論付けています。

近年、文字は読めるけれど、内容が理解できない人が増えていると感じます。その理由に、スマホやパソコンの画面の進化と、映像文化の隆盛が関係している気がします。現代は、YouTubeやTikTokのような情報が生活に根付き、映像を見る時間が圧倒的に多くなっています。

文字を読むのが苦手、という学生に出会うのも日常茶飯事。といいながら、私自身もSNSでの連絡はひっきりなしですけどね。

受験や資格試験などの問題文の意図の理解は、問題を解く基本の「キ」。内容を理解できなければ、正解にたどり着くのは至難の業ですよね。**読解力や集中力などに不安がある方は、紙ベースの勉強を増やしてみてもいいのでは**ないでしょうか。赤ペンやマーカーを引きながら読めば、さらに頭に入ってきます。

まとめ

どうしても頭にたたき込みたいときや理解力を強化したいときは、あえて紙に出力して読む。

04

「誰かに教えるつもり」で学ぶとインプット力とアウトプット力が抜群に上がる

やるべきこと 後で人に教えるつもりで学ぶ

学ぶことと教えることは表裏一体

　せっかく覚えても、覚えたことが頭の中で整理できていなくて、ごちゃごちゃのままでは、記憶に定着しません。

　あなたには、自分が学んだことを誰かに教えようとして、うまく説明できなかったことはありませんか？　「人に教える」という行為は、しっかりと内容を理解してインプットした情報を整理していないとできません。

　実は、「後で人に教える」という意識を持って勉強すると、それだけで学習効果が上がります。

　そんな研究を紹介しましょう。ワシントン大学セントルイス校のネストイコらによる実験です。

【実験内容】

56人の大学生を①「後で人に教えることを前提にしたグループ」、②「後でテストを受けることを前提にしたグループ」、③「何も前提としないグループ」に分け、ある戦争映画における描写と史実に関する1541語からなる文章を読ませ、関係のないことをしばらくしてもらった後に、学んだ内容についての自由記述および、内容に関する短答式のテストを実施した。

この結果、自由記述と短答式の双方で、①のグループの成績がよくなりました。

「教える」というのは、自分の持つ知識や技術を学ぶ側に一方的に伝える作業に見えるかもしれませんが、**学ぶことと教えることは表裏一体**です。私は学生時代の塾の講師のアルバイトも含めると30年以上も「教える」仕事に携わっていますが、教えることとは学ぶことだと常に痛感しています。

教えるためには、内容をしっかりと理解する必要がある。学ぶ側からの質問でも新たに学ばされることも少なくない。また、**教える行為そのものに、頭の中を整理して、**

自らの理解を深める効果があると感じます。――と、完全に教える側の話をしてしまいましたが、ネトイスコらの実験が面白いのは、勉強するときに、後に誰かに教えることを前提に学ぶと「思っているだけ」という点です。

それを意識すれば、より緊張感や集中力、注意深さを持って学んだり、深堀りしたりします。また、「忘れると教えられない！」という緊張感が、短期記憶にも強く作用し、さらに長期記憶にしっかりと移行させる必要性を脳に実感させるのでしょう。

みなさんもぜひ、後で誰かに教えるつもりで学んでみてください。

ただし、思っているだけだと脳が慣れて「うそだな」と思ってしまうかもしれないので、家族、友人、恋人など、実際に誰かに説明するような機会を強制的に設けるのがおすすめです。そうすれば、さらに高い効果が期待できるはずです！

まとめ

何かを覚えたり、理解したりするときは、そのことを後から誰かに教えるつもりで取りかかると学習効果が格段に上がる。

05

「すぐに忘れちゃう」を解消する「30分読書」

やるべきこと 1日30分の読書習慣をつける

文部科学省の結論。
読書をすると成績が上がる

覚えてもすぐに忘れてしまうという方。

それは、覚えたことが脳に定着していないのが原因です。

脳への定着率を高めるには、実は、勉強のやり方を変えるのではなく、ほかの方法が有効です。**仕事や勉強以外の時間を使って、脳へのインプット効率と定着率を高める**方法があるんです。

それが、読書。

そのことを示す、文部科学省の委託を受けて行った静岡大学の調査データを紹介しましょう。

【実験内容】

小学生114万4548名、中学生107万2481名を対象に、児童生徒の読書活動やテレビ活動、ゲーム活動、学習活動を調査。学校の読書環境や、指導方法も調査し、教科（国語・算数・数学）の学力に対する関係、影響を明らかにした。

詳しくは文部科学省のウェブサイトで確認いただくとして、総じて**「読書をすると成績が上がる」**といえる結果が出ています。

読書好きか、という質問に対する回答とテストの正答数を見ると、どの科目でも、平均正答数は「肯定」、「やや肯定」、「やや否定」、「否定」の順にきれいに多くなっています。

「すぐ忘れちゃう」を解消したいなら、読書なんです。

ただ、「どれだけ本を読むか」という評価軸になると、話は少し複雑になります。

平日の読書時間について質問した回答の選択肢は、以下の6つ。

①「2時間以上」
②「1時間以上2時間未満」
③「30分以上1時間未満」
④「10分以上30分未満」
⑤「10分未満」
⑥「なし」

平日の読書時間とテストの正答数のグラフを見ると、こちらは右肩下がりのグラフにはならず、⑥だけでなく、山なりのグラフになり、①などでも正答数が下がる現象が見られます。

これは、1日の読書に使える時間が関係していると思われます。

2時間以上を読書に割くと、必然的に勉強する時間が減り、正答数の低下につながるわけです。

本調査のまとめでは、

「読書活動の直接的な影響は、基本的にはかなり小さい。ただし、読書活動は学習活動に大きく影響しており、それが間接的に教科の学力にも影響している。学習活動にはやや劣るものの、ある程度の直接的・間接的な影響が確認されたことは読書活動総体の有効性を示したものと考えられる」とあります。

読書には、勉強の休憩としてリラックスする効果や、自分の学力を伸ばす上で、適切な勉強のやり方を学んだり、自分で考えたりする力を伸ばす学びを得られる間接的な影響が多いということです。

ちなみに、すでに勉強する習慣がある方でも、気分転換や勉強以外の学びを得るために、読書はおすすめです。

平日の勉強時間が同じ児童生徒同士で平日の読書時間を比較したところ、中学生の数学以外では、**10分以上の読書をする児童生徒は、ほとんど読書をしない児童生徒よりも学力が高くなる**傾向が見られます。

その観点でいうと、大切なのは「勉強以外の趣味」の存在かもしれません。

慶應大学の田中による15000人を対象にした大規模調査では、平日にゲームをやる時間の平均は1時間で、1時間未満の人は進学実績もよいことがわかりました。

つまり、**勉強時間がなくなるほど熱中するのが問題。**

読書はもちろん、ゲームなどを気分転換として上手に活用し、自分の決めたルールを守って勉強をおろそかにしなければ、学力は伸ばせるのでしょう。ほかの趣味でも同様の効果があると考えられます。上手に活用してみましょう。

まとめ

「すぐに忘れちゃう」脳を強化したいなら読書がおすすめ。1日30分の読書習慣で脳が変わる。

06

記憶をつかさどる海馬を拡張し、勉強意欲を爆上げする、ダンスのすごい効果

やるべきこと ダンスを習慣に取り入れる

音楽とダンスで記憶力向上、気分爽快

勉強前の散歩の効果を紹介しましたが、それでは、歩く以外の運動ではどうなのか？そんな疑問の参考になるのが、ドイツ神経変性疾患センターのレーフェルトらによる研究です。

【実験内容】
63〜80歳の健康な被験者26人に、週1〜2回、90分間のプログラムで18カ月（後半の12カ月は週1回）にわたって運動をしてもらった。うち14人がダンス、12人がウォーキングやサイクリングなどの持久力を必要とする運動を行った。

このプログラムの前後で、脳の記憶や学習をつかさどる部位である海馬を調べたと

ころ、年齢とともに萎縮していく海馬が両グループで増大し、特にダンスのグループは大きくなっていました。

ちなみに、この研究は高齢者を対象にしたものですが、若い方にも重要な研究です。生まれ持った体力、若さだけでどうにかなるのは、よくて30代まで。運動をしないと体はどんどん衰えていくので、長く勉強を続けられる体力をキープするために、運動習慣や定期的な健康診断を大切にしてほしいところです。

ほかにも、ヨーク大学のキャンピオンとシェフィールド大学のレヴィタが、5分間のダンスでポジティブな気持ちが高まり、ネガティブな気持ちが減少し、疲労の解消に効果があると実証しています。

実験では56人の男女を対象に、それぞれ5分間、①「ダンスをする」、②「音楽を聴く」、③「エアロバイクをこぐ」、④「静かにしている」、という4つの条件で、その前後で気分や創造力、これまでの経験などの質問紙調査と心拍数の計測を行いました。

結果、**ダンスと音楽は、ポジティブな気持ちを高め、ネガティブな気分を軽減する**

ことがわかりました。

そのほかのさまざまな研究でも、ダンスは統合失調症やうつ症状の改善にも効果があると考えられており、精神面のマネージメントにも使えそうです。受験や資格試験のための勉強などは、精神的に消耗することも大いに考えられるので、対応策としてのダンス、という使い方もアリかもしれません。

「自分は内向的だから、ダンスはちょっと……」と思う方もいるかもしれませんが、近年の科学的結論である〝体が先、脳が後〟と考えると、**「踊るからこそ性格が明るくなる」**とも考えられます。まずは音楽に合わせて体を動かしてみましょう。たとえば、クイーンの「We Are The Champions」を聞けば、体が自然にリズムをとるはずです。勉強に疲れたときは、ダンスで気分転換しましょう。

まとめ

ダンスは、記憶力をつかさどる海馬をより増大させるだけでなく、勉強意欲も高めてくれる。

07

マンガで学ぶと理解が深まり記憶が定着する

やるべきこと☞

初めての分野はまずマンガで読んでみる

同じ内容をマンガで読むと文章だけより理解度がアップする

「文字がびっしり詰まったテキストを読むのがしんどいときがあるのですが、マンガのテキストを使って勉強してもいいですか？」

そう思っている方もいると思います。どんなマンガでもいいというわけではありませんが、**勉強に使えるマンガはあります。近年は、学習マンガもたくさんありますからね。**そこで、ここでは富山大学の向後と向後の研究から、マンガによる勉強の効果を考えてみましょう。

【実験内容】
大学生が読んでも楽しめ、難易度的にも適切であり、学習部分とストーリー部分の両方が適度に含まれているエピソードとして『美味しんぼ』（雁屋哲・花咲アキラ／小学館）第37巻所収「アルカリ性食品の真実」を選び、その内容をストーリー部分（約16ページ）と学習内容部分（約5ページ）に分けて、学習内容部分はマンガに忠実に文章化したものも用意した。大学1・2年生97名を以下の4つのグループに分け、マンガないしはテキストを読ませた。

①マンガ内容＋マンガストーリー（学習内容部分とストーリー部分をマンガで提示）

②マンガ内容（学習内容部分をマンガで提示。ストーリー部分はなし）

③文章内容＋マンガストーリー（学習内容部分は文章、ストーリー部分をマンガで提示）

④文章内容（学習内容部分を文章で提示、ストーリー部分はなし）

読解後資料を回収し、学習内容部分から出題される、回答に必要な理解の深さが異なる問題（テストA：推論を必要としない、テストB：推論を必要とする、テストC：新しい事態への知識の適応を必要とする）からなる理解度テストを実施。さらに、1週間後にも同様の理解度テストを実施した。

結果、**全般的にマンガで学んだグループのほうがよい成績になりました。**

まず、学習内容をマンガで読むことで、理解度がアップすることがわかりました。さらに、文章だけのグループは1週間後のテストで成績が2割程度低下し、特に推論を必要とするテストBは約4割成績が低下しており、記憶への効果もありそうです。また、テストBやテストCでは、マンガによるストーリー部分の提示が成績を有意に高める結果となっています。物語とともに学習内容部分を読み進めることで、深い理解を促進したのでしょう。

ただし、マンガの教材は限られますし、試験の問題は基本的に文章で出題されます。ですから、文章だけでも理解できる力を磨くことは必要不可欠。**文章を読むのが苦手な方も、マンガはあくまで、補助教材や気分転換として用いるのがベター**でしょう。

まとめ

文章だけの参考書ではいまひとつ頭に入ってこない内容なら、マンガで描かれた参考書を読む。

コラム①

知っているとちょっと得するアドバイス①

ここでは、科学的な論文で実証されてはいないけれど、経験上、効果がありそうだなと思う、おすすめの方法をご紹介します。あくまで個人的な経験に基づくものなので、悪しからず。

無理せず休憩しよう

人間の脳には「馴化《じゅんか》」という、どんなことでも繰り返し経験すると慣れてしまうというシステムが組み込まれています。これは、脳が疲れないよう自動的に情報を処理できるようにするため、また脳にストレス耐性をつけるために非常に効果的に作用しています。ですが、「馴化」は勉強にとってはマイナスに作用してしまいます。

勉強していて、最初は面白かったのに、だんだん飽きてしまった、というのは、まさに「馴化」の作用によるもの。これを克服するためにはどうしたらいいか。

ポイントは、できるだけ同じ行動を続けないこと。

たとえば、複数の科目を勉強するなら、1つの科目に集中しないでいろんな科目を分散させて勉強する。同じ科目でも、書いたり、読んだり、聞いたり、音読したり、いろいろなやり方を取り混ぜてみる、などありますが、自分の経験上、一番シンプルで簡単な方法は、飽きてきたら一定時間休むこと。

私が留学時代に勉強法をマネしていた先輩は、超人的な勉強家でしたが、2時間に一度、ほぼ必ず休憩をとっていました。私もそれをマネすべく、彼が休憩のために立ち上がると一緒に立ち上がって、休憩スペースに同行していました。

それから30年近く経ちますが、いまだに私は先輩の教えを忠実に守り、仕事中、しっかり休憩をとるようにしています。そのおかげで、飽きることなく常にフレッシュな気分で、論文を読んだり、執筆したりなど、仕事に取り組めていると思います。

Chapter 2

すぐ忘れてしまうのですが、どうしたらいいですか？

08

忘れない一番の方法は脳に重要だと認識させること

やるべきこと

「これは重要だ」と言い聞かせながら覚える

脳が重要でないと判断するとすぐ忘れてしまう

「この間まで覚えていたけど、忘れちゃった」

「肝心なときに、出てこなくなる」

せっかく勉強したのに忘れてしまうのは、本当に困りますよね。

まず、「覚えられない」と、「一度は覚えたのに忘れてしまう」現象について話しましょう。

これは、**「短期記憶」**と**「長期記憶」**の違いになります。

短期記憶は、脳の海馬で一時的に記憶されます。そして、その情報が大脳新皮質に送られることで長期記憶となります。

この作用は、すべての情報に共通するわけではなく、短期記憶の時点で、海馬が情報の重み、つまり、重要さ加減を判断して、重みがある情報ほど、強固な記憶として大脳新皮質に送られ、長期記憶となります。

逆にいえば、**海馬が重要な情報ではないと判断すると、大切な勉強の内容でも、長期記憶に定着しにくくなってしまう**のです。

Chapter1で、マンガのストーリーの効果をお伝えしましたが、これも、そのような理屈から説明できます。物語の力によって、学習内容部分も深く自分の脳裏に刻み込まれることで、ストーリー部分を読んでいない学生よりも、記憶の定着効果が大きかったのです。

当たり前の話かもしれませんが、好きな音楽や本、マンガや映画などでも、大好きなもの、衝撃を受けたもの、「別れてしまった彼女と最後に観に行った映画」といった形で、印象的なエピソードと結びついたものなどが、長く記憶に留め置かれるものです。トロント大学のタルヴィングが提唱した「エピソード記憶」という記憶です。

とはいえ、音楽や本などの芸術、創作物に比べると、勉強と感動や衝撃は結びつきにくいかもしれません。

「この数式の美しさに感動して数学を志した」といったエピソードを持つ数学者なども存在すると思いますが、それは少数派であるはず。そうなると、通常の学習で重要になるのは、つまらない話かもしれませんが、やはり「復習」です。

記憶というのは、筋トレに似ています。

「ここは重要」と自分に言い聞かせ、**「これは覚えなきゃ」と何度も繰り返すことで、筋トレで筋肉が強く太くなるように、記憶も強化されます。**そして、復習するときも、脳にとって印象深いものにすることを意識すると、より忘れにくい記憶になります。

まとめ

忘れるのは、「覚えなきゃ」という思いが弱いから。「大切だ」と意識しながら勉強すると忘れない。

09

記憶を定着させる、「拡張分散学習」というテクニック

やるべきこと

一気にやるのではなく「分散学習」をする

効果的な復習方法は集中学習より分散学習

忘れたくないなら、復習する。

これについては、科学的なデータは見なくとも、ほぼ確定といえる事実でしょう。**1回だけの勉強でちゃんと覚えるのは、なかなか難しい**もの。一度だけ聴いた曲をカラオケで歌うのは大変ですが、何回も聴いて、何度も練習すれば、しっかりと歌えるようになるはずです。勉強も一緒です。

問題は、復習のやり方です。

復習と記憶についてはさまざまな研究があるのですが、**勉強したことを一気に復習する「集中学習」よりも、1週間後に復習して、その2週間後、1カ月後、と度々復習する「分散学習」のほうがよい**とされています。

みなさんは、「エビングハウスの忘却曲線」ということばを聞いたことがありますか？　これは、ドイツの心理学者のヘルマン・エビングハウスが提唱した、忘れるまでの時間と記憶の関係を表したものなのですが、人間の脳は勉強したことを1時間後には56％忘れ、1日後には74％、さらに1週間後には77％、1カ月後には79％忘れるといいます。

つまり、**人間は覚えた瞬間から忘れていく生き物**なんです。

ですから、集中学習をしても、その1回でよほど脳に深く刻み込まれない限りは、結局はその後も忘れていきます。テストなどの時期が決まっていて、その後は忘れても問題ないなら、集中学習が効率的かもしれませんが、ずっと覚えておきたい大切な内容は分散学習がおすすめです。

みなさんには、ストーリーはもちろんのこと、役者のこまかいセリフから衣装まで覚えているドラマや映画はありませんか？　何も見ずにスラスラと空で話せる小説はありませんか？　どうして記憶に定着しているのかというと、時間をあけて何度も何度も観たり、読んだりしてきたからです。

それが分散学習の効果なのです。

それでは、どのように分散するといいのでしょうか。

分散学習についてはかつては「拡張分散学習」という勉強法が長期記憶に効果的だといわれていました。

拡張分散学習とは、ある内容を勉強して、何度か復習するときに、

①1週間後に復習、②2週間後に復習、③3週間後に復習、④4週間後に復習

このように等間隔で復習をするのではなく、

①1週間後に復習、②3週間後に復習、③1カ月半後に復習、④3カ月後に復習

といった形で、間隔を広げながら何度も学習をすることです。

立教大学の中田によると、このような説が指示されていた背景に、「想起練習効果」と「想起努力仮説」があります。

想起練習効果は、記憶したことを正しく想起すると、長期記憶の定着に効果がある

とするものです。Aについて学び、Aについての質問をされたとき、答えを間違えたときよりも、「Aです」と正解したときのほうが強く記憶できるわけです。

想起努力仮説は、記憶したことを想起しようとするときの労力が大きいほうが長期記憶の定着に効果があるとする仮説です。Aについて学び、直後にAについての質問をされて正解するよりも、1週間後に同じ質問をされて正解したほうが強く記憶できるという考えです。

この2つの仮説は、正解できれば覚えやすくなりますが、思い出すときの労力を増やすために間隔を空ければ空けるほど正解率は下がるので、相反するもの。

そのバランスを取ろうとすると、**「どうにか忘れずに記憶していられるギリギリの期間を空けて復習する」**ことが効果的な復習となります。

そのため、1回目の復習を経て、記憶が強固になったと考えられるので、次の復習までの期間を伸ばす、そのまた次も……という形で拡張分散学習の効果に注目が集まり、さまざまな研究が行われました。

ところが、近年は拡張分散学習の効果に疑問を呈する研究も増えています。前述の中田もそのような研究を行っています。このようにいわれると、読者のみなさんは「どっちだよ！」と思われるかもしれませんが、これこそが科学的な行いなのです。

少し話が変わりますが、「科学的である」ということは、必ずしも1つの絶対的な答えを指し示すものではありません。結果が正反対になるような研究があることも珍しくありません。学問の世界では、あるとき誰もが「正解」と認めていたものが、不正解となったり、別の新たな正解が登場したりすることもあるのです。「科学」と向き合うためには、そのことを踏まえて、誠実な目線で自分なりの正解を判断しようとすることが大切です。本書の内容も、そのような見方で参考にしていただければ幸いです。

まとめ

1回だけでの復習による記憶の定着は期待しないこと。忘れたくないなら、復習はこま切れに実行する。

10

右利きの人は右手を強く握りしめると左脳が活性化し、インプット力が高まる

やるべきこと 右手をギュッと握りながら覚える

記憶をつかさどる左脳に作用するのは右手

短期記憶と長期記憶の話で述べたように、**復習においても、勉強しているときの印象が強ければ、より記憶が定着します。**ここからは、取り入れたら面白いかも――と思う研究をご紹介していきます。

まずは、モンクレア州立大学のプロッパーらによるこんな研究です。

【実験内容】
右利きの被験者51名に、①「ゴムボールを手で90秒間強く握り、直後に72個の単語を覚え」、②「もう一度ゴムボールを90秒間握り、直後その単語を思い出す」実験を実施。
被験者は以下の5グループに分類された。

A：右手のみでボールを握る
B：左手のみでボールを握る
C：①は右手、②は左手で握る
D：①は左手、②は右手で握る
E：両手をお椀のようにしてボールを持って握らない

結果、最も優秀な成績だったのは、右手で握って暗記し、左手で握って思い出したCグループでした。

これは、**右手と左脳、左手と右脳が関連しており、右手が記憶のインプットをつかさどる左脳、左手が記憶の引き出しをつかさどる右脳を刺激する**ことで、Cグループの成績がよくなったものと考えられます。

この実験、左利きの人がどうなるのか、またインプットとアウトプット、左脳と右脳の違いについても、「効き脳」が人によって違うという研究もありますので、この研究内容が間違いのないものであっても、Cグループと同じやり方が誰にとっても正解とは限らない点には注意が必要です。

また、人間は成長するとともに、いわゆる暗記のような「意味記憶」では覚えにくくなり、行動や出来事とセットで触れた内容である「エピソード記憶」のほうが覚えやすくなるとされています。そう考えると、何度もやると効果は薄れるかもしれませんが、初めてゴムボールを握ってから覚えた内容は、「ゴムボールを握った」というエピソードと結びついて覚えやすいかもしれません。

ちなみに、このやり方を試してみて「いいな」と思った方は、**ゴムボールを使わずに、単に石手を握りしめるか、ペンを強く握りしめる**習慣にアレンジするなどしてみると、実際の試験などでも実行可能なアクションとなるでしょう。

まとめ

暗記するときに、右手でボールを握ったり、こぶしをつくったりするだけで記憶力がアップする。

11

「すぐ忘れちゃう」には、チョコレートが効く

やるべきこと おやつにはチョコレートを食べる

チョコレートを食べるなら カカオフラバノールの含有量に注目

みなさんは勉強中に間食する習慣はありますか？　私は研究室にチョコレートやお菓子を常備しており、論文を読んだり執筆しているときよく食べています。

食べるだけで記憶力を高める食べ物があるとしたら、うれしいですよね。

実はチョコレートには記憶力を高める効果が認められています。原料であるカカオ豆が薬として用いられていただけのことはあり、健康や記憶に関する研究がたくさんあります。

コロンビア大学のブリックマンらの研究を紹介しましょう。

【実験内容】
50名の69歳を対象に、カカオフラバノールを900㎎あるいは10㎎含んだカカオのサプリメントを3カ月にわたって摂取してもらい、fMRI（磁気共鳴機能画像法）を使って脳の活動を観察した。結果、多くのカカオフラバノールを摂取していた人のほうが、ワーキングメモリの機能の改善が見られた。

やはりチョコレートは、脳にもいいんです。

最近忘れっぽくて勉強の効率に不安がある方は、チョコレートを食べる習慣を身につけてみてはいかがでしょうか。

ちなみに、研究で調査されているのは「カカオフラバノール」というポリフェノールで、カカオ豆由来の成分なので、砂糖などが多く加えられた甘いチョコレートの場合は含有量が下がるかもしれません。

忘れっぽさ解消のために**チョコレートを選ぶときは、カカオフラバノールの含有量をチェックする**ようにしましょう。砂糖のとりすぎも気になるので、カカオ含有率が高く、砂糖が少なめのものがおすすめです。

ここで気になるのが、どのように食べるか。

本研究に限らず、チョコレート、つまり、カカオフラバノールの視覚情報の認知機能への影響を認める研究は多いのですが、ミュンヘン・ルートヴィヒ・マクシミリアン大学のシドレツキーらは、カカオフラバノールによる、網膜の血流や視力検査の結果に対する短期的な影響は見られなかったという研究結果を発表しています。

視覚情報への作用が、目ではなく脳に出ている——などの可能性も考えられますが、ミュンヘン・ルートヴィヒ・マクシミリアン大学の研究も正しいとすれば、**チョコレートの効果に期待するなら、短期的なものではなく、長期的**な目線で考えるべきかもしれません。

食べすぎ、太りすぎにつながるほど食べるのはどうかと思いますが、チョコレートを食べる習慣は勉強にはよさそうです。

まとめ

チョコレートを食べながら勉強すると効率が上がる。習慣になると、記憶力も向上する。

12

「音読」で「短期記憶」へのインプット効率を高める

やるべきこと☞ インプットは音読から始める

声に出して読むと脳にインプットされやすい

音読が英語力アップによいという話は、聞いたことがあるかもしれません。実は、音読が効果的なのは英語だけに限った話ではありません。音読には、脳へのインプット効率を高める効果があるんです。

忘れっぽさを解消したいなら、音読がおすすめです。福岡教育大学の森による研究を見てみましょう。

【実験内容】
大学生60人を対象に実施。福田章二（庄司薫）『喪失』から抽出した10行の文章を音読か黙読かという第1要因と、以下の挿入学習条件による第2要因を組み合わせた。

①『喪失』の10行の原学習部分のすぐ後の23行を用いた関連文挿入学習
②福田の別作品『封印ははなやかに』から抜き出した23行を用いた無関連文挿入学習
③原学習部分のみを読む
③は10行の文章を読み、その内容をできるだけ思い出させ、書かせる自由再生後に記憶テストと内容読解テストを実施。①と②は、10行の文章の後、関連文と無関連文の学習材料を配布し同じように読ませ、その後原学習材料の自由再生とテストを実施した。

そのほかの細かい条件や結果は割愛しますが、森は、音読には文章を逐語的に記憶する場合の有効性はあるが、その効果は一時的であるとし、一方黙読は内容を体系化して記憶する場合に有効で、記憶効果は音読よりも永続的であるとしています。

つまり、音読は英単語などの短期記憶に向いており、黙読は論文や記述問題の読解、長期記憶に向いているということです。

この研究が示すのは、忘れっぽさを解消するには、音読より黙読ということでは決してありません。そもそも論として、**短期記憶にいったん収納できないと、長期記憶に引っ越すこともできない**ので、「まず頭に入れる」のが大切だからです。

そのような観点で音読の効果を認める研究は、いろいろとあります。東北大学の川島によると、ことばを2分間で何語覚えられるかという測定で、たとえば小学生を対象としたものでは、通常平均8・3語を覚えるところ、2分間簡単な計算をした後の場合平均9・8語、2分間の音読後には平均10・1語を覚えたそうです。

音読は声を出し、その声が聞こえるので、黙読より脳を刺激します。計算問題も同様で、70歳以上の高齢者に音読や簡単な計算を習慣化してもらったところ、前頭葉機能が改善したというデータもあります。特に勉強の始まりに、音読で脳を刺激してみるのもアリかもしれません。

まとめ

参考書や資料などを声に出して読めば、脳が刺激され、理解力が高まり、記憶能力が向上する。

13

キーボード入力より手書きが、記憶への定着率を爆上げする

やるべきこと☞　ノートは手書きでまとめる

タイピングの記録スピードか手書きの記憶定着か

最近では、ノートやメモをパソコンやスマホでとるという方も多いことでしょう。レポートや提出用資料をパソコンでつくるよう求められる時代ですから、当然といえば当然の流れかもしれません。

しかし、**記憶の定着効果を見れば、手書きのメモやノートの力は見過ごせないものがある**――と考えるのが、今のところは主流です。

ここでは、その意見の実証的な根拠を示す、プリンストン大学のミューラーとカルフォルニア大学ロサンゼルス校のオッペンハイマーの有名な研究を紹介します。

【実験内容】
15分ほどのTEDトークを見た65人の男性に、関係ない課題を2つほどこなしてもらい、動画を見た30分後に内容に関する質問をし、記憶力をテストした。被験者はＴＥＤトークの内容をメモしており、手書きでメモするグループと、キーボード入力でメモするグループに分かれた。

結果としては、トーク内容を手書きでノートに記録した生徒たちのほうが、内容の理解と記憶によい結果が出ています。

その理由としては、**手書きでメモをとる人は、キーボードのタイピングよりも記録スピードが遅いこともあり、自分なりに頭の中でまとめる作業が発生している**ことが挙げられそうです。

想起努力仮説のように、**脳内で要約するための負荷が発生しており、記憶の定着に結びつきやすい**と考えられます。

また、ノルウェー科学技術大学のアスクビックらによる同様の研究では、「ペンで紙を押し付けたり、手書きした自分の文字を見たり、手書きしている最中の音を聞いたりすることで、多くの感覚が活性化され、これらの感覚経験が脳のさまざまな領域との接点を生み出し、学習のために脳を開放する」と述べられており、紙と筆記具という道具の使用も、脳に刺激を与えていると考えられます。

とはいえ、タイピングの記録スピードは大きな武器ですし、絶対に手書きがいい、といいたいわけではありません。

デジタルデバイスも超速の進歩を遂げています。iPadとApple Pencilなどで手書きのメモを利用する人も増えています。

今後、前提条件が大きく変わっていくであろう、手を使った記録――あるいは音声入力がメインになる可能性もあるかもしれません――のやり方の違いによる研究が進んでいくと考えられます。

その進展と、研究のスピードを飛び越えるような新技術の誕生などによって、科学的な正解もどんどん上書きされていく可能性は十二分にあります。

たとえば、株式会社センタンとコクヨS&T株式会社と、広島大学の入戸野による共同研究では、タブレットは紙への手書きよりも、書いた文字の確認に認知的努力が必要になり、字を書くこと自体に注意を奪われやすい傾向があるとされています。

紙に書くほうがストレスがないということです。

タイピングよりも手書きがいい、と考える人からすると、納得感のある研究結果でしょう。

しかし、先ほども触れたアスクビックらによる別の研究では、**タブレットに手書きメモをするときと、紙に手書きメモをするときの脳の働きは変わらない**そうです。

そう考えると、タブレットとペンの質が向上していけば、この差は、どんどんなくなっていくでしょう。

とはいえ、現状ではまだまだ紙への手書きに一日の長がありそうです。

忘れっぽい人は、大切な学習内容の復習は紙に手書きでする——といったやり方を試してみてはいかがでしょうか。ハードディスクに記録したほうが安心な気もしますが、記憶に残るのは手書きなのです。

まとめ

紙への手書きはタイピングより記録スピードは劣るが、その分、脳が活性化され記憶が定着する。

14

集中力を倍増させるノートの魔術

やるべきこと

ノートをとりながら勉強する

ノートをとりながら勉強するほうが記憶が定着する

参考書を読んだり、講義を聴いたりするとき、ノートをとりながらの人と、そうでない人がいます。

みなさんはどちら派でしょうか？

印象だけでいえば、ノートをとったほうが、後で見返すこともできますし、なんとなくよい気がします。

そんな、ノートへの記録や、後での見返しの効果を科学的に検証してくれたのが、ノートルダム大学のボヘイらです。

【実験内容】
97人の学生を対象に、1000〜1300語からなる文章を2つ与え、その内容について尋ねる質問をして理解度および記憶を調べるテストを、読んだ直後と1週間後に実施した。
ノートの使用法については、ノートをとるorとらないに加え、後でノートを見返すor見返さない、でも被験者を分類した。

その結果、文書を読んだ直後のテストでは、見返す機会が与えられなくても、ノートをとっていたグループの誤答率が低くなる一方、1週間後のテストでは、ノートをとっていた人といなかった人の差はありませんでした。

ノートを見返す機会が与えられる場合は、見返せない場合よりも、直後のテストでは顕著に、1週間後のテストでもわずかながら誤答率が低くなりました。

ノートを書きながら読むほうがよさそうだと、この結果からわかります。

さらにボヘイらは、講義を聴く形式でも実験を行いました。

こちらの実験では、77人を対象に9分の講義映像を3本視聴してもらい、文章の場合と同様に、その内容についてのテストを行いました。

さらに今回は、ノートをとる方法を、手書きとパソコンに分けて、両者による違いが出るのかも調査しています。

その結果、ノートを見返せない場合には、手書きにしろ、パソコンにしろ、ノートをとる条件で誤答率が低く、1週間後のテストでは、パソコンでノートをとったグループだけが誤答率が低くなっています。

ノートを見返せる場合は、直後のテストで、やはりノートをとる条件で誤答率が低くなり、1週間後のテストでは、ノートをとる条件の成績がほんの少しだけよくなり、記録方法については手書きグループとパソコングループで差はありませんでした。

また、いずれの場合も、ノートをとる条件の2グループ間の成績は、見返しをする場合としない場合では差がありませんでした。

見返し効果がそれほどなかったことは、正直驚きですが、**勉強した直後にテストを**

する場合、ノートをとりながらするほうがよい結果が得られるといえそうです。
ノートをとるには、ノートに書くために、学んでいる最中に、より集中して理解しようと意識するため、より深い理解につながると考えられます。

また、手書きをおすすめしておきながら、聴いている講義をメモして、ノートの見返しなしで1週間後のテストをする場合、パソコンのグループだけが誤答率が低くなるという結果になりました。

人の話を聴きながらメモをとる場合、ノートをとれる情報量が手書きよりもパソコンのほうが多いため、見返しのときに有利に働くのかもしれません。手書きのノートテクニックを上げスピードを上げるか、時と場合により使いわける必要があるということでしょう。

論語に、「学びて思わざれば則ち罔《くら》し。思いて学ばざれば則ち殆《あやう》し」ということばがあります。

学んで、自分でしっかりと考えなければ身につかないし、人から学ぼうとしないと独善的になってしまうということです。

やはり、しっかりと学んで考え、考えながら学ぶということが大切なようです。

ノートの見返しの効果も、ただメモした内容を見るのではなく、考えながら「読み込む」とさらに上がるのかもしれません。

まとめ

ノートをとりながら勉強するほうが記憶に残る。見返しを習慣にすれば、さらにノート効果が高くなる。

15

注意力、集中力、記憶力の底上げにヨガが効く

やるべきこと☞ 生活習慣にヨガを取り入れる

ヨガは勉強にまつわる悩みをすべて解消するかも

注意力と集中力、それから肝心の記憶力。まとめて改善できる方法があったら、こんなに勉強で悩むこともないのに……。そんな魔法みたいな方法が実はあります。

それは、ヨガです。

パフォーマンス向上のために、瞑想《めいそう》などと一緒にヨガを始める社会人も多いようですし、集中力など、精神的な部分には効果がありそうだと個人的にも感じます。

でも、やっている最中は集中力が上がりそうですが、終わった後も効果はあるのでしょうか？　さらに、注意力や記憶力にも効果があるなんて、そんなうまい話ならぜひとも試してみたいものです。

ＭＥＳ医科大学のジョイスらの研究を見る限り、**ヨガには運動生理学的にかなりの効果を期待できる**ようです。

【実験内容】

実験グループと統制（ヨガを実施しない）グループ50人ずつの医学生による実践。

実験グループは、1週間ヨガのテクニックのトレーニングを受けた後、週5回1日30分ずつ、12週間にわたって、以下の9種類のヨガのポーズを実行した。

・スリヤナマスカラ：4分間
・パドマーサナ：4分間
・パスチモッターナーサナ：4分間
・パーダーハスターサナ：4分間
・サランバサルヴァーンガーサナ：4分間
・スーパーブレインヨガ：1分間
・ヴァジラサナ：2分間
・ヴリクシャーサナ（木のポーズ）：1分間
・シャバーサナ（屍のポーズ）：6分間

実験前と後では、ヨガを実行したグループの注意力、集中力、記憶力の改善が見られた一方、統制グループにはほとんど変化がありませんでした。

これは、**日常的にヨガを実施することにより、注意力や集中力が「身についた」ことで、ヨガ以外の行動時にも発揮できるようになった**と説明されています。ヨガを続けることで、脳が効率よく情報を整理するように成長し、その結果、注意力、集中力、そして記憶力にも改善が見られたのだろう——とジョイスらは推測しています。

ヨガには精神的な効果に加え、筋肉をやわらかくしたり、体のゆがみを改善したり、美容に効果があったりする効果もあります。勉強の前の準備体操としてやってみたり、勉強の合間の気分転換に行ってみたりしてもいいかもしれません。

まとめ

リラックス効果だけでなく、集中力、注意力、記憶力が向上する効果のあるヨガは一度試してみる価値あり。

知っているとちょっと得するアドバイス②

ここでは、直接的に勉強とは関係がないけれど、知っておくとちょっと得するかもしれないトピックスをご紹介します。

練習は本番のように　本番は練習のように

本番で実力通りの力を発揮するための簡単な方法が「場慣れ」。人間の脳には「馴化」という作用があり、どれだけ緊張するシチュエーションであっても、何度も経験すれば、あまり緊張しなくなります。みなさんにも、最初はドキドキしたけれど、緊張しなくなったことがたくさんあるのではないでしょうか。

つまり、実力を発揮しきれない不安がある試験などがあるなら、その環境にあらかじめ慣れておけば、実力を発揮しやすくなるということです。受験テクニックとしてよく教えられていることですね。

劇団四季の元主演俳優の佐藤政樹さんは、「練習は本番のように、本番は練習のように」を意識して日々の修練を重ね、本番は「張り切って並」の精神、つまりいつも通りの心持ちで臨むことがベストなパフォーマンスを出す上で重要だと述べています。

100しか持っていないのに、本番だけ120を出すのは難しいので、常に100のうち、80は出せるように訓練しておくことが大切だということです。

まずはシチュエーションを試験環境にできるだけ近い状態にして、できるだけ試験内容と近い勉強をしましょう。場所の印象が近しいことも大切ですが、「実際の試験の場で起こらないこと」ができるだけない場所が好ましいでしょう。

また、本番では、イヤホンやヘッドホンをつけながらの受験はできません。「音がないと実力が出せない！」ではダメで、何も聴かずに過去問などを解いてみましょう。服装も、部屋着ではなく、本番で着るような服で臨み、スマホなども一切触らないこと。

そして、もう１つのポイントがタイムスケジュール。

本番と同じような時間に起きて、同じように行動して、同じように勉強する。入試や一部の資格試験は長時間机に向かうことになるので、自分が本番でどのように体力気力を消耗していくのかを実感したいところです。

Chapter 3

やる気が起きないのですが、どうしたらいいですか？

16

やり始めれば、脳は勝手に「やる気」になる

やるべきこと☞

やる気が出るのを待たずにとにかくやる

体が先、脳が後。これが脳科学や心理学の常識

「やる気が出ないから、今日はやめた」
「やる気が出ないから、SNSでも見るか」
「やる気が出ない」は手ごわい壁。

「勉強しないとダメなのはわかっているけれど、やる気が出ないから、勉強しない」というのが、一番ダメなパターンなのは、誰もが認めるところでしょう。勉強しないと何も始まりませんからね。陸上選手がトレーニングもせずに足が速くなることもなければ、ピアニストがレッスンもせずにうまく弾けるようになることもないですよね。

「やる気が出ない」を解決する答えは、実は非常にシンプルです。

やる気を出すには、「実際にやる」しかない。

これはさまざまな脳科学の研究などから裏付けられています。

カリフォルニア大学のリベットらが行った研究では、**動作を行おうと思う脳の意識の信号よりも、その動作をするために脳が出す信号のほうが、平均で0・35秒早かった**という結果が出ています。

「何かをやろう」と考えてから、体が動くのではなく、意識するよりも前に、体を動かす信号が出ている。つまり、ジャンケンするときに、パーを出そうと思ってパーを出しているのではなく、体がパーを出し始めてから、パーを出そうと考え出すようなイメージです。

体が先、脳が後。

この順番は、今や脳科学や心理学では常識とされています。

さらに、脳にある側坐核《そくざかく》という部位は、いわゆる「やる気のスイッチ」にあたります。このスイッチを入れるトリガーも、「その行動を始める」こと。側坐核は、体から送られてくる刺激を受けて作動するので、先に体を動かす必要があるのです。

勉強をしようと思いつつ、つい部屋の掃除を始めたり、スマホゲームを始めたりしたら、そちらのほうに夢中になってしまった。そんな「勉強できないあるある」も、掃除やゲームという行動をしたから、側坐核のやる気のスイッチが入って止まらなくなった――という科学的な理由があるんですね。

ですから、**勉強もとにかく始めてしまえばいいのです。**

ただ、その一歩が難しい。

そのために、自分でできる工夫もあります。

たとえば、**「頑張れ」という自分を鼓舞するような「努力のことば」を、目に入るところに掲げておく。**ユトレヒト大学のアーツらは、以下のようなモチベーションに関する研究を行い、世界的に権威のある『Science』誌に掲載されています。

【実験内容】

42人の大学生を3つのグループに分け、コンピューターの画面上に「握れ」と出たときに、3・5秒間グリップを握るという作業をさせた。

その作業をする前に、グループごとに異なる以下のようなさまざまなことばを見せ、プライミング（あらかじめ刺激を見せたり、聞かせたりして、その後の思考や言動に影響を与える）をした。

①統制群：「よい」や「快適」などのポジティブなことば、および「さらに」や「周辺の」といった中立的なことばを見せた群

②プライミング群：中立的なことば、および「努力」や「活発」のような努力に関することばとポジティブなことばとはリンクさせずにサブリミナルで見せた群

③プライミング＋報酬群：中立的なことば、および努力に関することばをポジティブなことばとリンクさせてサブリミナルで見せた群

結果は、③、②、①のグループ順で、より反応時間が早く、マックスの力に達するのも早くなりました。

この研究が示すのは、たとえば「頑張ろう！」のような努力を表すことばを見るとモチベーションが上がり、さらにはポジティブなことばとリンクさせておくと、より効果的であるということです。

体を先に動かしさえすれば、やる気は必ず後からついてきます。

そのために、自分を鼓舞することばを部屋の目に入る場所に掲げて、モチベーションを高めていきましょう！

まとめ

やる気が起きないのは、始めないから。嫌々でも、気分が乗らなくても、始めると「やる気」は後からついてくる。

17

「やる気」に火がつく、マネするだけの「外発的動機付け」

やるべきこと

できる人の勉強法をマネしてみる

優秀な人は優秀なだけの理由がある

「やらなきゃいけないことが山積みで、何から手をつけていいのかわかかない」
「難しすぎて歯が立たないことがわかっているから、モチベーションが上がらない」

勉強を始めるのを足止めしている、よくある「言い訳」ですね。

そういうときは、シンプルに、できる人のマネをしてみましょう。勝手にやる気が出て、勉強の成果が上がってくるんです。

私が留学していた大学で面食らったのは、その勉強量でした。とにかく、勉強させる。その上、英語が母語ではない私は英文を読むのも遅い。優秀なアメリカ人でさえも苦労しているのですから、普通にやっていたら絶対に間に合いません。

そこで私が実践したのは、優秀な人のマネをすること。

多くの場合、**優秀な人は優秀なだけの理由があり、自分なりの優れた勉強法や生活習慣を持っています。**その人と同じ行動パターンをすると、その人を育んだ勉強法を学べますし、マネをすればいいからあれこれ考えなくてすみます。

南デンマーク大学のアナリティスらの、こんな調査もあります。

【調査内容】

1万4000人を対象に調査し、以下のパターンに分類した。

①自分と好みの似た個人のマネをする場合

②多くの人が選択するものをマネる場合

③似た好みの人たちの平均をマネする場合

④好みの似た身近な人たちの平均のマネをする場合

⑤好みの似た多くの人たちの集団を参考にして決断する場合

⑥好みの似た人たちが選んだいくつかの選択肢を提示し、そこから自分の好みを足して決める場合

⑦ランダムに選ばれた人の趣向を反映したものを、被験者の趣向予測として提示した場合

結果、①の「好みの似た個人」の選択をマネることで、パフォーマンスがよくなることが明らかになったのです。何かを始めるきっかけには、自らやろうとする「内発的動機付け」と、自分以外から刺激されてやろうとする「外発的動機付け」がありま す。後者のほうが、効果が高いことがよく知られています。

やる気が起きないなら、とにかくデキる人のマネをしてみるんです。

近くにそんな人がいないなら、本書を読んで、とりあえず何かやってみる。

正直、人間にはプラセボ（偽薬）効果が働くので、「プラスになる」と信じて勉強すれば、本当に効果が出ることすら考えられます。信じる者は救われるのです。

まとめ

やる気が出ないことをあれこれ考えるくらいなら、近くにいるできる人の行動をそのままマネてみる。

18

「つくり笑い」で脳をだましてつまらない勉強を面白くする

やるべきこと☞ 口角を上げるだけで勉強が楽しくなる

笑顔になると笑顔の感情になる

そもそも、勉強が面白くない。勉強が嫌いだ、という方。
とっておきのとても簡単な方法を紹介しましょう。

笑いながら勉強してみてください。
冗談ではありません。どんどん勉強することが面白くなります。
マンハイム大学のストラックらによる研究をご紹介しましょう。

【実験内容】
マンガを読ませるなどの作業をしてもらう上で、フェルトペンを用意し、被験者を以下の3つのグループに分けた。

①ストローを吸うように唇を丸め歯が触れない状態でくわえさせられた被験者
②上下の前歯ではさんで、唇にペンが触れないようにくわえさせられた被験者
③フェルトペンを普通に利き手ではないほうの手で持った被験者
結果は、見たマンガを最も面白く感じたのは、②のグループだった。

実際にやってみるとわかるのですが、①はどうやっても「笑っていない顔」になり、②は無理やりにでも「笑顔」になります。〝体が先、脳が後〟と先述しましたが、顔を笑顔の形にすれば、自然に笑顔になるときに近い感情になりやすいわけです。

脳は複雑怪奇で脳科学者もそのすべてをまだ解明できてはいませんが、**気持ちを盛り上げるには「脳をだます」とよい、**などとよくいわれます。

この実験結果は、その典型です。面白くなくても、とにかく笑顔をつくる。すると、本当に面白く感じられる。しかも作業のパフォーマンスも上がるのです。

勉強しようとしてもなかなかやる気が出ない、という方は、無理やりにでも笑顔をつくって勉強してみてはいかがでしょうか。

また、「笑顔」と「笑うこと」は、一見近いものの、イコールではありません。ストラックらの研究は「笑顔」についてのものですが、「笑うこと」そのものについての研究もご紹介しましょう。

マリーランド大学のアイゼンらは、被験者をコメディの映像を見たグループと、そうでないグループに分けて、同じ作業に臨ませました。すると、前者の被験者群は、後者の3倍の精度で作業をこなしたそうです。

この結果を踏まえると、勉強においても「笑う門には福来たる」です。

勉強をやるときは、できるだけ笑いながらする。

笑えるような面白いことがない場合は、つくり笑いでいいので、口角を上げながら勉強してみましょう。誰かに見られる心配がなければ、それこそペンや割り箸をストラックの実験の②のグループのようにくわえるのも、1つの手かもしれません。

まとめ

やる気が出ないのは、勉強しているときの顔が原因かも。にっこり笑顔で机に向かうだけで勉強が楽しくなる。

19

呼吸法で集中力をコントロールする

やるべきこと

勉強を始める前に腹式呼吸をする

腹式呼吸に
お金も場所も必要なし

「自分で自分のやる気のスイッチを押す、何か簡単な方法はありませんか？」

と聞かれることがよくあります。そんなときにお教えするのがこの方法。

「あー、今日もやる気が起きないなあ」と思ったら、姿勢を正して、鼻から息をゆっくり吸っておなかをふくらませ、口から息をゆっくり吐きましょう。数回繰り返していると心が落ち着いてきて、不思議と「始めようかな」という気分になってきます。

これは、マジックでもなんでもありません。

北京師範大学のマーらの研究を紹介します。

【実験内容】

40人の被験者を20人ずつの実験群（研究者が介入し援助する）と統制群（援助

なし）に分けて、8週にわたって感情のテスト、数字のテスト、コルチゾール値の測定を実施。
テストと測定は、「何もしない」、「目を閉じて普通に呼吸する」、「腹式呼吸をする」という3パターンに分けて、何もしない or 呼吸の前後に行った。

この結果を見てみると、いずれも腹式呼吸をすることが、よい結果につながることを示しています。感情のテストでは、ネガティブな気分の改善が認められました。

200の数字の羅列から、1分間で指定された数字のパターンをできるだけ早く消していく数字のテストでも、**腹式呼吸を行うことで結果がよくなり、持続的な集中力の向上に寄与している**と考えられます。

そして、腹式呼吸をした被験者群は、ストレスを感じると分泌されるホルモンの一種・コルチゾールの値も低下が見られました。

こうして見ると、腹式呼吸の万能選手ぶりが際立ちます。**腹式呼吸にはお金も特別**

な場所も必要ありません。

時間については、この実験の場合、1分間に4回の深い腹式呼吸を15分間行っているので、結構時間がかかっています。もしかしたら、15分という時間に注目すると、腹式呼吸単体のみならず──特に精神的に落ち着く作用については──、広く瞑想的な効果も期待されているのかもしれません。

近年、マインドフルネスが注目されたり、Googleのオフィスに瞑想室があることが話題になったりと、ビジネスパーソンが高いパフォーマンスを発揮する上で精神面の重要性が注目されているのは、こういう科学的な裏付けがあるんですね。

ともあれ、やるだけなら簡単にできるので、ストレスなどを感じて勉強をする気になれないときは、勉強前に腹式呼吸をしてみてはいかがでしょうか。

まとめ

勉強する前に鼻から息を吸って、口から息を吐き出す腹式呼吸を繰り返すと、じわじわやる気が出てくる。

20

「やる気のスイッチ」は、得意科目で押す

やるべきこと 得意科目から始めて、やる気を高める

やる気を持続させるには気分転換が大事

勉強しなければならないことが山積みのとき、その量を考えただけで「やる気が失せる」……そんなことありますよね。ジャンルや科目が1つならまだしも、一度にたくさんの科目に手をつけなければならないときなど、どうしたらいいか、途方に暮れてしまうこともあると思います。

そんなときは、**勉強する順番で、やる気を盛り上げていく方法**があります。

そのヒントとなる、広島大学の前田らの研究を紹介します。

【実験内容】
中高生946名が対象。本人の属性、自己効力感（ある行動を遂行できると自身で感じること）、好き・嫌いな科目、好き・嫌いな理由、好き・嫌いな科目の勉強の仕方などを尋ねた。その結果、科目の好き嫌いと自己効力感に関係はなかった。一方、好きな科目のほうが、嫌いな科目よりも主体的に、そして、より工夫や努力をしながら勉強する傾向が見られた。

この実験結果から、**最初に自分の好きな内容から取り組むことで高いモチベーションで始められるので、やる気のスイッチを入れやすくする**効果はありそうです。

そして、もう1つ意識したいのが、やる気の持続です。作業内容や関心度合い、環境や体調なども関係するので、一概にいえるものではありませんが、時間の経過とともに集中力が低下するのは、さまざまな研究において一致しています。

そこで気になるのは、一気にやるのか。それとも、休み休みやるのか。

そのヒントになるのが、カンタベリー大学のヘルトンとラッセルによる研究です。17歳から60歳までの266人の被験者に、モニター上に現れる楕円の位置を認識し続けてもらうテストを、被験者を①「約2分の休憩をとる」、②「数字や文字といった別の課題をはさむ」、③「作業し続ける」の3グループに分けて行いました。結果、

①→②→③の順でよい成績が出ています。

ほかにも、カリフォルニア大学ロサンゼルス校のコーネルとビョークは、画家の絵画の特徴を教えて、後にテストする実験で、画家ごとにまとめるよりも、複数の画家の絵画を混ぜて教えるほうが、倍近く（前者は30％、後者は60％のスコア）成績がよかったという研究結果を示しています。

これらの結果を踏まえると、当たり前かもしれませんが、**休憩や違う作業をするなどの気分転換は大切**だとわかります。**脳は新しい刺激が好き**なのです。

どうしても休憩時間をつくれない場合で、勉強の対象が複数あるときは、異なることを交互にするほうがよいでしょう。たとえば、得意科目と苦手科目を一気にやりたい場合、まず得意科目から始めて側坐核を刺激し、しばらくしたら苦手科目に移るなど、交互に勉強を進めることでパフォーマンスを高められます。

> まとめ
>
> **勉強対象が複数あるときは、まず好きなものから始める。「やる気」が出てきたら嫌いなものに手をつける。**

21

目標の「見える化」で「やる気」と自己強制力を爆上げする

やるべきこと☞ 目標を書き出す

見える化すると実現の可能性が高まる

あなたは、今、なぜ勉強しているのですか？

何を目指して、勉強をしているのですか？

即答できた方、素晴らしいです。できなかった方、まずは自分が何を目標にして勉強をしているのか、いま一度考えてみましょう。

目標は、言語化して、見える化すると、実現する可能性が高まります。

そんな目標の効果を検証したのが、ドミニカン大学カリフォルニア校のマシューズによる研究です。


【実験内容】

アメリカ、ベルギー、英国、インド、オーストラリア、日本からさまざまな業種の267人が調査に参加し、目標を設定し、達成に向けてめいめい努力する5つのグループを形成。

そのグループが何をするかは本人たち任せで、目標の扱い方にだけ、①「目標を書かない（ただ思い浮かべるだけ）」、②「目標を書く」、③「目標と行動の約束を書く」、④「友達宛てに目標と行動の約束を書く」、⑤「友達宛てに目標と行動の約束と進捗記録を書く」という違いを設定した。

この研究結果は、なかなか驚きの内容です。

②のように目標を書くだけでも、目的達成率が①の約1・2倍、③は約1・4倍、④は約1・5倍、⑤に至っては約1・8倍にまでなったのです。

この数字を踏まえると、**目標の見える化には、自分に強制力を働かせ、やる気を出させる効果が期待できる**と考えられるでしょう。

以前、デジタル機器をバリバリに使いこなす腕利きの編集者さんのオフィスにお邪魔したら、「仕事中はＳＮＳ禁止」といった手書きの紙が壁に何枚も貼ってあるのを見て、驚きながらも「こういう人が結果を出すんだな」と納得したことがあります。

さらに、④や⑤の数字を見ると、**目標や夢を語り合い、切磋琢磨し合う仲間の存在も重要**です。心理学では「コミットメント（効果）」として知られる現象ですが、人に目標を話すことで、自分の発言と行動に一貫性を持たせようという意識が働き、行動するようになります。

受験マンガ『ドラゴン桜２』（三田紀房／講談社）には、「進学校の生徒はなぜ勉強ができるのか！　それは周りの生徒もみんな勉強するから」というセリフがあります。やはり、「勉強する環境」、「勉強できる環境」は重要なのです。

とにかく、まずは目標を頭の中でぼんやり浮かべるだけでなく、紙に書き出してみることから始めましょう。

まとめ

やる気を出したいなら、まず目標をしっかり決めること、そして書き出すこと、できれば周囲に公開すること。

コラム③

こんなときには、こんな方法がおすすめ！ランキング①

この本で紹介している勉強法の中で、科学論文の考察や私自身の個人的な検証に基づいて、特におすすめの方法を、ニーズ別にランキング形式でまとめました。

よかったら、ぜひ参考にしてください。

「楽しくできる方法を知りたい」という方におすすめ

うそみたいだけど効果実証済みの面白勉強法 BEST 5

❶右利きの人は右手を強く握りしめると左脳が活性化し、インプット力が高まる → P62
❷インプットは風呂の中でする → P24
❸右脳と左脳を刺激する「眼球左右サッカード」で記憶を定着させる → P166
❹「すぐ忘れちゃう」にはチョコレートが効く → P66
❺記憶効率が25%アップする勉強前の「10分散歩」 → P20

「すぐに効果を実感したい」という方におすすめ

やってすぐに効果を実感！即効性ありの勉強法 BEST 5

❶集中力を倍増させるノートの魔術 → P80
❷シメの「筋トレ」で記憶の定着度を高める → P170
❸「誰かに教えるつもり」で学ぶとインプット力とアウトプット力が抜群に上がる → P32
❹スマホで読むより紙で読むほうが脳への定着率が圧倒的に上がる → P28
❺勉強の効率が劇的に上がる「差し込み学習法」 → P158

Chapter 4

飽きてしまうのですが、どうしたらいいですか？

22

「かわいい写真」で、脳の「馴化」を防ぎ、学習効果を高める

やるべきこと☞ 集中力が切れたらかわいい写真を見る

勉強に新鮮味がなくなると頭に入ってこなくなる

勉強をずっと続けていると、飽きてきます。

そのまま続けていても、頭に入ってこなくなります。

それは、集中力が切れている証拠です。簡単な解決方法を教えましょう。

人間には「馴化」という作用があり、どんなことでも大抵繰り返し経験すると、慣れてしまう生き物です。なぜ、そういう作用があるかというと、同じような刺激があるたびに反応していると、脳が疲れてしまうから。つまり、刺激に慣れてしまえば、効率よくその刺激を処理できるようになるのです。

馴化することで、ストレスへの耐性ができあがりますし、慣れるということはそもそも学習するために必要な基礎的なの能力でもあります。

ところが馴化には、デメリットもあります。

勉強に前向きに取り組んでいたのに、少しずつ新鮮味がなくなり、後半はほとんど頭に入ってこない……なんてことがあるのも、脳が刺激に慣れてしまうからです。

では、このデメリットを克服するにはどうするか？

一風変わった方法を提唱しているのが、広島大学の入戸野らの研究です。なんと、**かわいいものの写真を1分間見ると、脳がリフレッシュされて、集中力などを取り戻せる**というのです。

【実験内容】

被験者に、注意力を要するような、ゲーム盤の穴から小さなピースを取り出す作業と文字列から特定の字を探す作業をしてもらい、しばらくして効率が落ちてきたら、①子犬や子猫の写真を見る群、②大人の猫・犬の写真を見る群、③おいしそうな食べ物の写真を見る群で、それぞれ写真を1分間見てもらい、その前後の作業のパフォーマンスを比較した。

結果は、ゲーム盤の穴から小さなピースを取り出す作業においては、①の子猫・子犬の写真を見た群は、写真を見た後で作業の成功が増え、成功の回数が約44％増えました。②の大人の猫・犬の写真を見た群は、同じ作業で成功が約12％増えました。

文字列から特定の字を探す作業においては、①は正答数が約16％、②は1・4％、③は1・2％だけ増えました。

かわいい写真を見るだけで、作業の精度や正答率が上がるというのは驚きですね。

このような違いが出る理由は、かわいいものを見ると、もっと見たいという気持ちが起こり、集中して見るようになるからです。そして、そこで湧き起こってきた集中力が、その後の作業においても持続する、ということのようです。また、写真を見るという違う作業をはさむことで、リフレッシュ効果もあるでしょう。

非常に簡単な集中切れ対策なので、ぜひ試してみてください。

まとめ

飽きてきたな、集中力が切れてきたなと感じたら、自分の好きなかわいいものの写真を見る。

23

「タイムラプス勉強法」の「オーディエンス効果」

やるべきこと

勉強中の自分を自分で撮影する

自分を自分で監視するタイムラプス勉強法

みなさんは、今話題の「タイムラプス勉強法」をご存じですか？

タイムラプス勉強法とは、自分が勉強する様子をスマホの動画撮影モードである「タイムラプス」や「微速度撮影」で撮影する勉強法です。Twitter で「タイムラプス勉強法」と検索すると、動画がたくさん出てきます。

多くの動画に共通しているのが、動画に時計を写すことです。アナログ時計の針が高速で回ったり、デジタル時計の数字が目まぐるしく変わる様子が見られるので、自分で動画を見返したときに「よく頑張っているなあ」と感じられそうです。

では、そのように動画で自分自身をモニタリングしながら行う勉強法には効果があるのでしょうか？

人は誰かに見られていると、「やらなければ」と思ってパフォーマンスがあがります。

心理学においては、「社会的促進」や「オーディエンス効果」として知られた効果です。

ただし、これを実践する際には少々注意が必要です。

ここでは愛知淑徳大学の金谷と立命館大学の永井の研究を紹介します。

【実験内容】

大学生26人を実験参加者とし、交互に提示される画像の変化している部分を見つける課題で、1つ目の実験では、参加者と面識のない人が参加者の様子を見ている条件と、2つ目の実験では、ビデオカメラを通してほかの人が見ている条件で、「見られている」という意識の影響を確かめる実験を行った。

結果、1つ目の実験では、観察している人がいる場合には、変化を見つけるのに倍以上の時間がかかりました。そして、2つ目の実験では、ビデオカメラがあると、倍近く時間がかかりました。

この結果だけ見ると、直接であれ、カメラを通してであれ、人に見られていると、勉強の妨げとなってしまうようです。しかし、事態はもう少し複雑です。

ミネソタ大学のザイエンスによると、監視下では、作業の精度などのパフォーマンスが向上する場合はありますが、学習の場合には必ずしもそうではないようです。というのも、学習の場合は、序盤の答えは間違えがちで、時間が経過するにしたがって正答率も上がってきます。間違いが多い段階では、オーディエンスがいることが障害となる一方、正答率が高くなってくると、見られている実験参加者も自信を持って答えるためにパフォーマンスの促進につながるというわけです。

人に監視されて勉強するのは気になるでしょうが、自分で自分を監視してみるのはいかがでしょうか。頑張っている自分の姿を、たまにはほめてあげてください。

まとめ

自分が勉強しているところを動画撮影すると、自分を客観的に眺めることができて、さらに勉強を頑張れる。

24

「飽きっぽい」人の集中力を高める「ノイズ」の効果

やるべきこと

集中力に自信のない人は、静かな環境で勉強しない

完全な無音状態は逆に集中できない⁉

自室にこもって勉強していると、なかなか集中できなくて、すぐ飽きてしまうけれど、カフェや図書館だと集中できるという方はいらっしゃいませんか？

出勤前や仕事帰りにカフェで勉強したり、休日に喫茶店にこもって勉強する、という方は多いかもしれませんね。受験生が図書館やカフェで参考書を広げて勉強している姿もよく見かけますよね。

実は、その方法、集中力を維持するのに、正しいやり方なんです。

図書館やカフェで勉強するのは、周りに人がいて、居眠りなどがしにくかったりしますが、人が話したり、動いたりする物音が恋しくて利用する方もいるようです。そう、秘密は「音」にあるのです。

音と勉強効率の関係については、さまざまな研究があるのですが、ここではストックホルム大学のソダールルンドらによる研究を紹介します。

【実験内容】
ノルウェーの7年生51名を、教師がリッカート尺度と呼ばれる基準によって注意力が散漫と評価したグループAと、それ以外の対照群の2グループに分けて、あらゆる周波数成分を同等に含む雑音であるホワイトノイズの有無による学習効果の違いを比較した。

この実験で、なぜ注意力が散漫な生徒を抽出したのかというと、基本的には雑音は勉強の集中を妨げると思われがちですが、発達障害の一種・ADHDの子どもは一定の雑音のある環境のほうが集中できるという先行研究があったからです。ちなみに、グループAにADHDと診断されている人はいませんでした。

その結果、全体的な成績の差は見られませんでしたが、2つのグループでホワイトノイズの有無とその際の成績を比較したところ、ホワイトノイズありの場合、グループAでは成績が上がり、対照群では反対に成績が下がっていました。

これは先行研究などから、ある程度事前に予想できた結果通りの内容といえます。

この研究に照らし合わせていうと、飽きてしまうということは「勉強に集中しきれない」ということですから、**飽きっぽいという自覚のある方は、ある程度雑音がある環境のほうが集中できる**ということなのでしょう。

また、この実験で流したホワイトノイズは78デシベル（テストに使われた音声は86デシベル）でしたが、イリノイ大学のミータらの研究によると、無音～50デシベル程度の環境よりも、70デシベルくらいの環境のほうが、創造性が高くなるようです。

人によって向き不向きはあると思いますが、日頃静かな環境で勉強していて、自分を飽きっぽいと思っている方は、もう少し騒がしい環境で勉強してみてもよいかもしれません。意外と集中力が長続きするかもしれませんよ。

まとめ

勉強することにすぐに飽きる人は、音が原因かも。静かすぎるなら、音楽をかけたり、ラジオを流しっぱなしにしてみる。

25

モーツァルトを聞いて集中力を爆上げする

やるべきこと☞ BGMはモーツァルトか自然音にする

モーツァルトの音楽は自然音やホワイトノイズに近い!?

気分を盛り上げたり、集中力を高めるために、好きな音楽を聴きながら勉強する方。もしかしたら、あなたが選んでいる曲によっては、逆効果となっていることがあるかもしれません。

たとえば「大好きな曲が流れてきて、聴き入っちゃった」ということはありませんか。なかには勉強の手を止めて、口ずさんでいたなんて人もいるでしょう。脳の意識がそちらにいってしまう危険性があります。

脳科学者の池谷裕二氏は、**音楽を聴くと集中力がそがれるので、BGMは自然音などの音源がいい**と述べています。

単純作業をするときは、好きな音楽を聴いていると効率が上がるというデータもあるそうですが、私自身音楽が好きで、じっくり聴きたくなるほうなので、池谷氏の意見に賛成です。

また、知人の音楽好きの編集者は、いつも好きなアルバムを聴きながら仕事をするそうですが、執筆や編集作業に集中すると曲が耳に入ってこなくなり、気がつけば再生が終わっているそうです。それくらい勉強にも集中できる人は、好きな音楽を聴きながらでもいいのかもしれません。

さて、勉強と音楽との関係で一時期に話題となったのが、「モーツァルト効果」。

１９９３年のカリフォルニア大学アーバイン校のラウシャーらの研究で、**モーツァルトの曲を聴くとＩＱテストの空間認識能力が向上する**と発表したのが発端でした。

その後、２０１０年にウィーン大学のピーチニヒらがモーツァルト効果を否定する研究を発表するなど、賛否両論が巻き起こりましたが、そもそもラウシャーらの研究は限定的なシチュエーションで、「モーツァルトを聴けば頭がよくなる」といった内容ではありません。

そのような点を踏まえると、モーツァルト効果がどこまで信用できるかは眉唾物だと思うのですが、ここではモーツァルトと勉強についての、ローマ大学のヴェルシオらによる研究をご紹介します。

【実験内容】
モーツァルト『2台のピアノのためのソナタK．448』の第1楽章（ラウシャーらの実験でも用いられた）とベートーベンの『エリーゼのために』を、以下の3つのグループに聴かせて脳波を計測した。
①平均年齢33歳の健康な10人
②平均年齢85歳の健康な10人
③軽度の認知症がある平均年齢77歳の10人

この結果、グループ①と②は、ベートーベンでは変化がありませんでしたが、モーツァルトを聴いた後は、記憶力や認知機能などに好影響が見られました。グループ③ではモーツァルトを聴いた後でも変化がありませんでした。

ヴェルシオらは、健康なグループがモーツァルトに好影響を受け、ベートーベンでは変化がなかった理由を、『2台のピアノのためのソナタK．448』の第1楽章は繰り返しが多く、『エリーゼのために』は抑揚が大きく変化に富んでいる点にあるのではないかと推測しています。

モーツァルト効果に関するさまざまな研究を外観してみると、作曲者がモーツァルトであること云々よりも、音楽のテンポやメロディが大きく関わっているようです。また、聴く人の好みも大きな影響を与えるということもわかっています。ウィンザー大学のナンタシスとトロント大学のシェレンバーグの研究によれば、モーツァルトが好きな人がモーツァルトを聞けば成績が向上し、物語が好きな人が物語を聞けば多少成績が向上する傾向があるようです。さらには、聞く人の性格も関係しているようで、ユニヴァーシティ・カレッジ・ロンドンのファーンンハムらの一連の研究で、内向的な性格の人にはモーツァルトは効果がないということが明らかになっています。

勉強の前や勉強中にモーツァルトや音楽を聴くことで結果の違いを探る研究や、高齢者などに聴かせて認知機能の変化を見る研究はいろいろとあり、一言で結論を出せる状態ではありませんが、音楽を聴くことで気分が上向くなど、人生においてプラスの影響が出ることはほぼ間違いない、といえます。そうでなければ、人間はここまで音楽を愛することなく、文化として定着することもなかったはずです。

ですから、大切なのは音楽と上手に付き合うことです。

ちなみに、**好きな音楽と勉強でよくいわれるのは「勉強をする前に聴く」**こと。好きな曲を勉強する前に聴いてテンションを上げ、勉強中は聴かずに集中するやり方です。それをルーティンにできれば、好きな曲を聴いた時点で脳が勉強モードに向かってくれる効果も期待できます。

まとめ

勉強中は、モーツァルトを聴いて、やる気と集中力を高める。

26

記憶力を劇的に改善する「50分昼寝」のすごい効果

やるべきこと

疲れたら適度に休む

約45～60分間の昼寝で学習と記憶が最大5倍改善する

「これまでそうでもなかったけど、最近集中力が途切れがちになるんだよね」という人は、**「飽きる」というよりも、肉体的、精神的疲労の限界が近づいて、体が本能的に「これ以上勉強していられない」というサインを出しているのかも**しれません。

近年、ビジネスシーンで昼寝や瞑想を休憩に取り入れる動きが注目を集めているのも、そうすることでパフォーマンスが上がると感じる向きが多いからです。

昼寝や瞑想に使う時間も貴重なものです。それでも積極的に仕組みとして導入する一流企業が多いのは、「8時間普通に働くより、昼寝込みの7時間仕事のほうがいい」といった実感の積み重ねがあるからでしょう。

2019年8月に、日本マイクロソフトは毎週金曜日も含む、週休3日制の導入などを試行する「ワークライフチョイス　チャレンジ　2019夏」を1カ月実施し、労働生産性が前年8月比で約40％アップしたという結果を発表しています。

日本指折りのIT企業で、最新の技術があれば代替できるアナログ作業が少ない、といった同社ならではの理由はあると思いますが、この衝撃的な数字を見ると、いかに「ムダな仕事」があるのかと痛感させられます。

少なくとも、**多くのビジネスパーソンにとって「長く働くのが正解」ではない**ことは間違いないところだと思います。

勉強は仕事に比べると「実は不要な作業」はそれほどないはずですが、だからこそ長時間集中して取り組んでしまい、飽きてしまう人も多いと推測します。

だから、勉強に飽きてきたら、昼寝なんです。

NASA（米航空宇宙局）のローズカインドらの研究によると、パイロットに平均26分間の仮眠をとらせたところ、睡眠前に比べて能力が34％向上したという研究もあります。**NASAが注目しているなら、昼寝は効果がありそう**だと思いませんか？

昼寝と勉強の効果を検証した研究もあります。

それが、ザールラント大学のスタッテらによる研究です。


【実験内容】

41人の被験者に、90個の単語と、それらから自動的に連想されることがないように、無関係な120個の単語を、普通は使わない組み合わせでペアとして提示して記憶させ、思い出させるテストを実施。被験者は単語を見た後、最大90分の昼寝をしてからテストに臨むか、同じ時間だけDVDを見てからテストに臨んだ。


この結果、**約45〜60分間の昼寝で、学習と記憶について、最大5倍の改善が見られた**そうです。記憶直後のテスト結果とも遜色がなかったとのことです。

この実験で興味深いのは、スタッテらは、短時間の昼寝は、電話番号や友人の名前のような、単純なアイテムの記憶力には関連していないとしている点です。

睡眠中の被験者の脳波を測定したところ、睡眠中に作用する「睡眠紡錘波《ぼうすいは》」の効果で、見たばかりの無関係な単語のリストであっても、「そのリストを見た」という行動や出来事から記憶を呼び起こす、エピソード記憶が強化されているようなのです。

勉強は、その時初めて見たり聞いたりするものであっても、以前に学んだものと有機的に結びついていくもの。極端なたとえですが、小学校の勉強をせずに、中学校の勉強についていけるのは、よほどの天才。表現を変えるなら、知識という点を知恵、知性という線にしていくのが勉強の目的といえます。

そう考えると、知らない内容で、一見唐突に脳に放り込まれたように見える新しい学習内容を、エピソード記憶として覚えられると、これまでの勉強内容の線とつなげやすくなると考えられます。

「飽きる」から少々それてしまいましたが、**昼寝をすることで疲労をリセットして、以降の勉強が飽きにくくなる上に、記憶にもプラスになる**なら文句なしです。

自分を「飽きっぽいなあ」と感じているあなたは、もしかしたら「頑張りすぎ」かもしれません。ぜひ適度な休憩を意識してみてください。

ちなみに、適度な昼寝の時間には、さまざまな研究を見ても諸説あると感じます。NASAの研究では、26分以上寝るとボーッとしてしまうとあります。ただ、ボーッとすることと記憶力には関係がありません。命に直結する仕事の内容的に、NASAのパイロットにとってシャッキリしない寝起きは問題ですが、私たちはそれほど気にしないでよいでしょう。

ひとまずは午前中の勉強の記憶定着を期待して45~60分昼寝してみて、結果次第では30分以内、60分以上と試してみるくらいがいいかと思います。

まとめ

勉強に飽きてきたら、とにかく休む。できれば寝る。それだけで学習効果が劇的に改善する。

27

眠気撃退には、コーヒーよりも「踏み台昇降運動」が有効

やるべきこと

眠くなったら、踏み台昇降運動をする

●本書へのご意見・ご感想をお聞かせください。

ご 協 力 あ り が と う ご ざ い ま し た。

郵便はがき

105-0003

切手を
お貼りください

（受取人）
東京都港区西新橋2-23-1
3東洋海事ビル
(株)アスコム

絶対忘れない
勉強法

読者　係

本書をお買いあげ頂き、誠にありがとうございました。お手数ですが、今後の出版の参考のため各項目にご記入のうえ、弊社までご返送ください。

お名前	男・女	才
ご住所　〒		
Tel	E-mail	
この本の満足度は何％ですか？		％

今後、著者や新刊に関する情報、新企画へのアンケート、セミナーのご案内などを郵送またはeメールにて送付させていただいてもよろしいでしょうか？
□はい　□いいえ

返送いただいた方の中から**抽選で5名**の方に
図書カード5000円分をプレゼントさせていただきます。

当選の発表はプレゼント商品の発送をもって代えさせていただきます。
※ご記入いただいた個人情報はプレゼントの発送以外に利用することはありません。
※本書へのご意見・ご感想およびその要旨に関しては、本書の広告などに文面を掲載させていただく場合がございます。

脳を元気にしたいなら有酸素運動

勉強中に眠気に襲われることがありますよね。そんなとき、みなさんはどうしていますか？

コーヒーを飲む、という方が多いと思います。でも、実はもっと眠気撃退に有効な方法があるんです。それが、**「踏み台昇降運動」**です。

踏み台昇降運動は階段の上り下りを模した運動ですが、階段の昇降運動には、眠気覚ましと「飽き」の回避に効果があることが証明されています。以下、階段昇降と踏み台昇降はほぼ同様の運動だということを前提に話を進めていきます。

ジョージア大学のランドルフとオーコナーの研究によると、コーヒーを飲むよりも10分間の階段の昇降をしたほうが、眠気覚ましに効果があり、モチベーションも高まると報告されています。

【実験内容】

カフェインを普段から摂取する傾向がある女子大生18人を対象に、1日中パソコンの前に長時間座ってもらい、言語能力や認知能力が必要な作業をしてもらった。そして、日によって、①「カフェインを摂取する」、②「プラセボ（偽薬）を摂取する」、③「階段の昇降運動をする（30階分を10分かけて上り下りする）」という3パターンに分けて差を見た。

結果、昇降運動をすると、作業記憶やモチベーション、集中力などが向上することがわかりました。一方、カフェインや偽薬を飲んだ①と②のケースは、モチベーションに大きな変化は認められなかったのです。踏み台昇降運動、強くおすすめです。

また、休憩するなら、寝るより体を動かしたいという人にも、踏み台昇降運動はおすすめです。

アニメを1話約25分見る間に、踏み台昇降運動をする「アニメダイエット」が一頃話題になったほど、踏み台昇降運動は「ながらでしやすい」、「特別な道具なしでできる」、「（ダイエットになるくらい）しっかりした負荷のかかる有酸素運動」。普段あまり運動する習慣がない方にもいいと思います。部屋でできるのもいいですよね。

ちなみに、**勉強になんらかの効果を見込んで運動をするなら、有酸素運動**です。筋肉を鍛えるには無酸素運動が必須ですが、脳に血液を送るなら有酸素運動です。無酸素運動は有酸素運動よりも疲れやすく、勉強をする気力を失ってしまう可能性もあります。

そんな有酸素運動と勉強ですが、ここでは実験を伴う研究ではなく、そのような数々の研究をヨンショーピング大学のブロムストランドとエングヴォールが分析したメタ分析（いろいろな同様のテーマの研究を集めて比較・検討する）を紹介します。

彼らは2009〜2019年にかけて、18〜35歳を対象に運動と勉強との効果、関係を調べた13の研究を分析しています。

その結果、2〜60分間の有酸素運動（ウォーキング・ジョギング・サイクリング）によって、学習や記憶に良い影響が出るとしています。

これは18〜35歳に限ったデータですが、論文によると、研究チームは、子どもや10

代の若者、高齢者についての研究は数多く、運動が認知機能の向上にプラスなのは科学的な正解と見なせるので、あえて若年成人の研究を分析したようです。

この研究分析は、2分間の有酸素運動にフォーカスしているところに要注目。**軽度〜高程度の運動を2分するだけでも、学習、記憶、問題解決能力、集中力、言葉の滑らかさが向上し、最大2時間その効果が続く**としています。

またブロムストランドらは、仕事や勉強の前の運動の効果はある程度認められたもの の、パフォーマンス向上のために最適な運動は見極められていない、とはしていますが、ランドルフとオーコナーの研究を見ると、踏み台昇降運動はちょうどよさそうです。踏み台昇降なら自宅でも簡単にできるのがポイントです。

ぜひ眠くなったときや、疲れたときの休憩時に、コーヒーを飲む代わりに、勉強効果を高める踏み台昇降運動を試してみてください。

まとめ

勉強の合間に一息入れるなら、眠気覚ましのコーヒーより、覚醒《かくせい》効果が高い踏み台昇降運動がおすすめ。

Chapter 5

効率が悪いのですが、どうしたらいいですか？

28

夜勉強するより朝勉強したほうが、脳への定着率が圧倒的に上がる

やるべきこと

しっかり覚えたいものは朝覚える

夜行性のマウスは夜のほうが記憶力がアップする

勉強するなら、夜がいい、あるいは、朝がいい——

いろいろな意見がありますが、結局、朝と夜、どちらがいいのでしょうか？

勉強する時間帯は、とても大きな問題です。

朝から晩まで勉強に使える一部の受験生は除いて、仕事や家事、育事あるいは部活などとの共立が必要です。

仕事前の朝か、仕事終わりの夜か、子どもが学校に行っている昼か……。

勉強する時間がインプット効率や記憶の定着率を左右するとしたら、より効率のよい時間を知って、その時間帯に勉強したいものですよね。

もしも「勉強に向いた時間帯」というものがあるなら、その時間帯を選んでギュッと勉強すれば効率を上げられるかもしれません。

そこで、ここでは東京大学の清水らの研究をご紹介します。

【実験内容】
マウスの、初めて見る積み木と見たことがある積み木を見たときの行動が違う習性を生かして、学習から24時間後のテストで長期記憶を測定した。

その結果、マウスの記憶しやすさは時間帯によって大きく異なり、夜がよいことがわかりました。また、清水が参加している別の研究では、海馬の長期記憶にSCOPというタンパク質が重要なことを発見しています。このSCOPの観察や、遺伝子工学的手法で海馬時計を失ったマウスで実験を行ったことによって、活動期の前半が長期記憶に向いていることが明らかになりました。

長期記憶のテストは5分間積み木を提示した後、24時間後に行っているのですが、一方、提示の8分後に行った短期記憶のテストでは、時間帯に関係なく一定の記憶力が示されたそうです。

この研究結果を踏まえると、**深い思考を必要とする勉強、しっかり覚えたい内容などは朝、簡単な暗記モノは夜に勉強する**のがよさそうです。

実験結果と逆の結論になるのは、マウスは夜行性で、人間は昼行性だからです。

脳科学者の茂木健一郎氏も、**朝を「脳のゴールデンタイム」**と呼び、クリエイティブなことをする状態が整っていると述べています。

1日中クリエイティブな勉強をしなければいけない方もいるかもしれませんが、時間帯を選べるなら、朝に勉強をしてみてはいかがでしょうか？

まとめ

1つの課題を解くのに時間がかかって「効率悪いなあ」と感じるなら、朝型にシフトしてみる。

29

「空腹」が記憶力を研ぎ澄ます

やるべきこと おなかいっぱいの状態で勉強しない

空腹状態になると記憶力が上がる

おなかがいっぱいになると、どうも集中しにくくなるし、記憶力が落ちる気がする、と感じることはありませんか？

その感覚、正解です。

実は、おなかのすき具合でも、勉強効率が変わってきます。おなかがいっぱいになると記憶力が下がるという研究報告があります。

ここではおなかのすき具合と記憶について調べた、東京都医学総合研究所の平野らの研究をご紹介しましょう。

【実験内容】
ショウジョウバエににおいと電気ショックとを同時に与える嫌悪学習を行っ

た。

ショウジョウバエの状態は、9時間から16時間にわたり絶食させた群など、さまざまな度合いの食事状態に分けて、記憶との関係を調査した。

この結果、**ショウジョウバエは学習前に空腹状態になると、記憶力が上がる**ことが明らかになっています。

ショウジョウバエの嫌悪学習の長期記憶は、これまでの実験では複数回の学習により形成されており、転写因子CREBとその結合タンパク質CBPが必須でしたが、空腹でインスリンが低下したことで、インスリンに抑制されていた、別のCRTCという結合タンパク質が活性化され、1回の学習で長期記憶が形成されたことが確認できたということです。

たかがショウジョウバエの話と思うなかれ。

CRTCは人間にもあるタンパク質なので、私たちにも転用できる認知症などへの対策や、新しい記憶術が開発されるかもしれないのです。

それに、ショウジョウバエと聞くと、人間とまったく別物のように思われるかもしれませんが、本研究ではハエが飢餓状態だと、食べ物に関する記憶のみが促進されることも判明しています。この現象は、「人間でもそうなるだろうな」と思ってしまいますよね。

仮に人間に転用できる話ではなかったとしても、勉強中に満腹で眠くなってしまった経験がある人は、意外に多いのではないでしょうか。

苦しくてまったく集中できないような極端な空腹状態では問題ですが、**人間も少しおなかがすいているくらいがちょうどいい**のかもしれません。

まとめ

ごはんをたらふく食べて「さあやるぞ」と思っても頭に入ってこない。少しおなかがすいているくらいがちょうどいい。

30

勉強の効率が劇的に上がる「差し込み学習法」

やるべきこと 15分ごとに勉強する内容に変化をつける

勉強効率が向上する「差し込み学習（インターリーブ）」

勉強の進め方も、スケジュールの組み方も人それぞれだと思います。ですが、勉強効率が上がるやり方があることをお伝えします。

あなたは、1つのことを集中的に勉強するタイプですか？　それとも、複数のことを組み合わせて勉強するタイプでしょうか？　たとえば、TOEIC対策の勉強で考えるなら、「今日はリスニング、明日はリーディング」あるいは、「前半はリスニング、後半はリーディング」ときっちり時間をわけて勉強するタイプか、それとも、リスニングとリーディングを交互に勉強するタイプか、ということです。

前者が**「反復学習」**、後者が**「差し込み学習（インターリーブ）」**。

さて、どちらが効率よく勉強できるでしょうか？

ここでは、南カリフォルニア大学のローラーとテイラーによる、インターリーブの有用性を検証した研究をご紹介します。

【実験内容】

18人の大学生を対象に、さまざまな図形の体積を計算する16の問題に取り組ませた。①「いろいろなタイプの問題をシャッフルして取り組む」、②「同様の問題をひとまとまりとして、ブロックごとに取り組む」という2つの勉強法で学ばせたところ、①のほうが1週間後の試験の成績が向上した。

112ページでカリフォルニア大学ロサンゼルス校のコーネルとビョークによる、画家の絵画の特徴を教えてテストする研究を紹介しましたが、画家ごとにまとめるよりも、複数の画家の絵画を混ぜて教えるほうがよい成績が出たこの実験も、インターリーブといえます。

ちなみに、勉強と試験の関係でも、インターリーブが効率的とする研究は枚挙に暇がありません。つまり、**ひと通り勉強してから、ひと通り問題集を解くよりも、交互**

に勉強と、テストや深い考察をするほうがよい結果が出るということです。

度々触れているように、脳には定期的に新しい刺激を与えることが大切です。教育科学的にも、脳科学的にも、インターリーブは効果があると私も考えています。

私は明治大学で教鞭を執っていますが、基本的には約15分ごとにやることを変えるようにしています。人によっては15分は短いと感じるかもしれません。もう少し長く続けたほうがいい内容もあるとは思いますが、大体そのくらいの長さにしておかないと、学生さんが飽きてしまうというのが私の実感です。

ちなみに、学校や塾・予備校のシステム的に、若い学生さんは反復学習の機会を与えられることが多いはずです。本人だけでなく、我々教師の側も、インターリーブによる学習機会の提供を検討することも大切になるかもしれません。

まとめ

いつもの勉強スタイルで効率が悪いなら、時間を区切って勉強する内容に変化をつけてみる。

31

「ゲーム」はやりすぎなければ勉強効率を高める

やるべきこと☞ 息抜きにゲームはOK。ただしやりすぎは厳禁。

大好きなゲームも やりすぎると毒になる

勉強しなければいけないけど、ゲームもやりたい。

わがままな話ですが、ゲーム好きにとっては死活問題かもしれませんね。

でも、付き合い方次第では、勉強の効率アップにつなげられるかもしれません。数学を勉強している間に計算ゲームをしたら、それも差し込み学習といえるのかもしれませんが、そうでなくとも、休憩や気分転換の効果が期待できる可能性はあります。

もちろん、ゲームを平日に長時間する人の成績は下がりがちですが、それは「勉強に効果がある」と静岡大学の研究で結論付けられた読書であっても同じこと。**上手にゲームと付き合えれば、少なくともマイナスではない**と考えていいと思います。

ここでは、ライプニッツ教育トラジェクトリ研究所のナムズらの研究を紹介します。

【実験内容】

青年期のドイツ人3554人を対象とし、ゲームの日々のプレイ時間が数学と読解の成績に与える影響を調査した。結果、ゲームで遊ぶ時間が長いと、2年後に成績の低下が見られる一方で、勉強時間を確保できている被験者には、ゲームのプレイ時間は数学と読解の成績には影響を与えていなかった。

薬も過ぎれば毒となるように、ゲームそのものが毒となるのではなく、この実験からは、**「ゲームのやりすぎ」が勉強にとっての毒になる**ことを示唆する研究といえるのではないでしょうか。

ゲームに興味のない方からすると、「ゲームをすると勉強の効率が上がる」という研究でなければ紹介する意味がないと思われるかもしれませんが、ゲームが大好きな方にとっては、このような研究結果も大切な情報になると私は考えます。

なぜなら、**ストレスは勉強の大敵だ**からです。

勉強をするときは、勉強を好きなこと、楽しいことと思いながらできるとよいとされています。ゲームができないことで、それを妨げている勉強が好きになれないなら、効率が上がることなんてありません。

どうしても勉強に前向きに取り組めない人は、せめて適度に好きなことで息抜きできないと、ストレスがたまってしまうわけです。

勉強は嫌いだけど、ゲームは好き。

そんな人はたくさんいると思います。ですから、ゲームとの付き合い方は、勉強効率においても重要な課題なのです。

まとめ

ゲームが大好きな方は、まったくゲームができなくなると逆にストレス。勉強の合間に適度にゲーム時間をつくる。

32

右脳と左脳を刺激する「眼球左右サッカード」で記憶を定着させる

やるべきこと 勉強前に眼球を左右に30秒間動かす

眼球が左右に動けば左右の脳を刺激する

できれば、今の学習スタイルやライフスタイルを変えることなく、今すぐ試せて、やったら即効果を実感できる、魔法のような方法があったらうれしいな……と思っている方。

30秒で記憶力が上がる方法があります。

それが「眼球左右サッカード」。

ポイントは、「目」。

サッカードとは、眼球が素早く小刻みに動くことで、本人が意識していないところでサッカードが起こることも多々あります。

ここでは、そんな眼球運動についての、マンチェスター・メトロポリタン大学のパーカーによる研究を紹介します。

【実験内容】

102名の大学生に、録音した単語を聞かせ、記憶テストを実施した。被験者は以下の3グループに分けられた。

A：テスト前に眼球を左右に30秒サッカードする

B：テスト前に眼球を上下に30秒サッカードする

C：中心で固定（何もさせない）

また、単語リストには、「針」を連想させる「裁縫」や「鋭い」といった単語を入れつつ、テストには「針」を出さないという引っ掛け問題を加えた。テストで「針」という回答が出たら、聞いたことばではなく頭で考えたことばである可能性があるためエラーとして処理した。

結果、グループAが最も聞いたことばを覚えており、ほかのグループよりも直感に頼った間違いが少ないという結果が出ました。上下ではなく左右というのは、左脳と右脳を刺激する効果があるからと考えられます。

左右にサッカードをすることで、エピソード記憶などをつかさどる脳の部位との相互作用が促進され、エピソード記憶として覚えやすくなるからとされています。

所要時間、たった30秒。

これなら、すぐに試せると思います。

仮に直接的な効果がなかったとしても、気分転換や、疲れ目を解消するための目の運動といった別の効果が期待できます。

まとめ

勉強を始める前に、眼球を左右に30秒動かす。たった30秒の眼球運動で記憶力が向上する。

33

シメの「筋トレ」で記憶の定着度を高める

やるべきこと

暗記の後は筋トレで仕上げる

勉強後に筋トレすると記憶力が10％向上する

今の学習スタイルを変えないで効率を上げる方法を、もう1つ紹介しましょう。それは、勉強が終わった後の筋力トレーニング。

脳を活性化するために脳に血液を送るなら、ウォーキングやジョギングなどの有酸素運動という話をしましたが、**筋トレなどの無酸素運動にも勉強に効果がある利用方法があります。**

ここでは、ジョージア工科大学のワインバーグらによる研究を取り上げます。

【実験内容】
23人ずつの2つのグループに、反応潜時（刺激を受けてから反応するまでの時間）を調べた後に、90枚の写真を見せて記憶させた。さらに、2日後に新しい90

枚を混在させた180枚の写真を見せて、最初に見せた90枚を当てさせた。
そのテストの前に、グループAはレッグエクステンションマシンを各脚50回ずつ行い、グループBは椅子にただ座っていた。

その結果、グループBは写真の50％を思い出したのに対し、グループAは60％思い出すことに成功しています。つまり、**勉強後に筋トレをしたことで、記憶力が10％向上した**わけです。

この研究で興味深いのは、運動を勉強の後にしている点です。

運動と勉強についての研究の多くは、勉強や記憶テストの前に運動したり、記憶をつかさどる海馬を増やすダンスのように、運動を習慣化した被験者群と長期にわたって行ったりするものが多い傾向があります。

いずれにしても、無酸素運動も、有酸素運動と同様に、記憶によい効果があると考えることはできそうです。

筋トレするなら、勉強の前より後。

トレーニングによる疲労を考えても、勉強法として活用するなら、勉強後が正解でしょう。マシンを使わなくてもスクワットや腹筋運動など、自宅でできる筋トレをするとよいと思います。

やることを終えて、ひと汗かいて、すっきりして寝るのもいいかもしれませんね。きっとよく眠れると思います。

ただし、翌日に疲労が残るまで頑張らないこと。日頃運動をしない方はほどほどに。レッグエクステンション50回って、結構ハードですからね……。

まとめ

今の学習スタイルを変えずに効率を上げたいなら、勉強をした後に筋トレすると、記憶力がアップする。

34

「コアミーニング」を理解すると語彙力が倍々に増えていく

やるべきこと☞ 勉強に辞書を活用する

周辺情報まで調べると長期記憶に定着しやすい

みなさんは、勉強するときに辞書を活用していますか？

最近は、分厚い紙の辞書ではなく、辞書サイトやアプリを利用している人もいるでしょう。きっと**辞書の使い方によって学習効果に差がある**と聞いたら、意外に思われる方もいるのではないでしょうか？


辞書についての研究はいろいろとあります。たとえば英語の場合、英英辞典（モノリンガル辞典）と英和辞典（バイリンガル辞典）、どちらを使うのがよいのか——という論争は昔からあります。

ここでは、母語が日本語ではなくイタリア語で、英和辞典と英伊辞典という違いはありますが、この問題について調べたアフヴァーズ・シャヒッド・チャムラン大学のハヤティとファターザデーが行った研究を紹介しましょう。

【実験内容】
学力の違いで結果に差が出ないように、事前にTOEFLを受験してもらい、学力層を調整したイタリア人大学生30人ずつの2グループに、英英辞典（モノリンガル辞典）と英伊辞典（バイリンガル辞典）をそれぞれ用い、英語の文章を好きなだけ時間をかけて読ませた。

この2グループに単語テストを文章を読む2週間前、直後、2週間後、4週間後にしてもらった結果、英英辞典と英伊辞典による違いはほとんど観察されませんでした。

唯一、読書のスピードのみ、英伊辞典を使ったグループのほうが早いとわかりました。また、英英辞典は、時間制限がない場合、長期記憶という観点からは、より深い理解につながるということがわかりました。

つまり、**効率のよい学びには、バイリンガル辞書のほうがよく、時間はかかるけれ**

ども、より深い学びはモノリンガル辞書のほうがよいというわけです。

この結果を補強するような、共愛学園前橋国際大学の中山と中央大学の大崎による研究もあります。中山と大崎は、辞書の使い方を学ぶことも大切だと指摘しています。

多くの学習者が、辞書を使うとき、たくさんある語義のうちの第一義、つまり最初に記載されている意味しか調べない傾向があるそうです。そのため、せっかく辞書を使っても、正確な読解につながっていないというのです。

英英辞典の場合、調べたい単語の解説もすぐに理解できるとは限らず、周辺の情報をさらに深掘りする必要に迫られる可能性があります。しかし、だからこそ、第一義の答えだけを探すには非効率的ながら、長期記憶に定着しやすい深い学びには効果的なのでしょう。

そもそも単語の意味は一義ではなく、文脈や伝え方によって変化するものです。

たとえば、「一定」という単語をとってみても、「一定の知識が必要となる」といった場合には、「ある程度の」というぼんやりとした意味になるし、「一定の分量」といった場合には、「特定の」ともいえる「決まった量」というはっきりとした意味になります。

多義語、つまりたくさん意味がある語彙は特にやっかいです。

最近の語彙教育研究では、「コアミーニング」の理解が大切だと叫ばれています。コアミーニングというのは、単語のさまざまな意味の「最大公約数」的な意味のことです。これを理解することで、文脈に合わせて、最適な単語の意味を効果的に引き出せると多くの学者が指摘しています。

たとえば、「weblio」というインターネットで無料利用できる辞書がありますが、単語のコアミーニングも掲載してくれているので参考になります。

コアミーニングを知っていれば、そして、ある程度の単語を学び、コアミーニングから理解するという思考法が身につけば、たくさんの意味を持つ単語でも、文脈との組み合わせで最適な意味がわかるようになっていきます。

ひいては、辞書に載っていないニュアンスまで理解できるようになるのです。

このように、辞書は「どう使うか」が非常に重要です。

目の前のテストのために必要な調べ物なら、第一義を調べることで十分ですが、本質的な学びを深めたければ、第一義以外もじっくりと見てみましょう。英英辞典でなくても、英和辞典や漢和辞典などでも、そのほかの説明を読んでみることで、長期記憶に定着しやすくなるのです。

ただし、辞書好きの方はよくおわかりかと思いますが、熱中のあまり、気になる別項目にどんどん飛んでいくような読み方になると、1日が簡単に終わってしまいかねません。インターネットの記事などで関連項目や文中リンクを次々に読み進めてしまうタイプの方は要注意です。

まとめ

辞書を開いたら、最初に出てくる説明だけでなく、ほかの情報にも目を配ることでより学びが深くなる。

35

「睡眠学習」が、実は、眉唾物ではないという科学的根拠

やるべきこと☞ 実践するなら、音声化された教材を使う

古くから賛否両論の代表的な学習法「睡眠学習」

睡眠学習にみなさんは興味があるでしょうか？

寝ている間に勉強できるなら、こんなにらくなことはないですよね。実践している方には申し訳ないのですが、**睡眠学習は昔から賛否両論がある学習法の代表的存在**です。

授業中に居眠りをしている人のことを、「睡眠学習をしているんだよね」などと揶《や》揄《ゆ》することがあります。英語でも似たような表現があって、机の上で本などに頭を乗せて居眠りしている状態を指して、learning by osmosis（浸透による学習）などといいます。本が頭に接触しているので、本の内容が頭の中に染み込んでくるイメージです。

睡眠学習は、**脳は体が寝ている間も働き続けているという点から考えれば、科学的に無理筋《むりすじ》というわけではありません。**その特性を利用して、寝ている間に脳に情報を送り込んで覚えさせてしまおうという理屈なわけです。本当に効果があるのであれば、ものぐささんにはピッタリの学習法です。

さて、実際のところ、睡眠学習には効果があるのでしょうか?

ここでは、「効果がある」とする学者たちの研究をいくつか紹介しましょう。

【実験内容】

リューベック大学のヴィルヘルムらは、11歳から13歳の被験者14人に、就寝2時間前に実験室に来室してもらった。そして、脳波計測機を着用後、92のオランダ語とドイツ語を対にした単語を覚えてもらい、その後就寝してもらった。そして就寝後は、ノンレム睡眠に入った際に、45分間にわたって学習した単語の半分をスピーカーから流した。

起床後は45分以内に単語テストを行い、1週間後にも、学んだ単語が長期記憶として残っているかをテストした。

結果は、**就寝中に音声で再生されていた単語は、再生されなかった単語よりも、起床後により多く覚えている傾向が確認されました。**ただ、統計的に有意というには、わずかに足りない結果でした。

この実験では、脳波も記録していましたが、**記憶をつかさどる脳の海馬との関係が強いシータ波が、寝ながら単語が流れているときだけ、活発化している**ことが観察されています。つまり、寝ながらも、脳は聞こえてくる単語を記憶しようとしていると推測できるわけです。

ノースウエスタン大学のアントニーらの研究では、16人の実験参加者に、ゲーム『太鼓の達人』のように、コンピューターの画面上に流れてくる丸に合わせてキーボードを打つと、音階が奏でられるプログラムを使い、①「高い音程のセット」と②「低い音程のセット」を演奏させました。

それぞれのセットの音階は12から成り、実験参加者は5回ずつ各セット＝メロディーを練習しました。練習後、実験参加者には昼寝をしてもらい、寝ている間に、寝る前に練習したセットの1つを聞かせました。さらに比較として、別の音程からなるセットも、寝る前と起きた後に聞かせています。

起床後、どれくらい音階を覚えているかテストしたところ、**寝ている間に聞かされていた音階のほうがよく記憶されている**という結果が出たのです。

これらの実験を見ると、まったく効果がないとはいえなさそうです。

ただ、寝る前に学んだことを、寝ている間に音でリピートすると、記憶が多少強化されるということを示したものである点に留意が必要です。寝ている間に聞くだけで、イチから単語がバッチリ覚えられる――といった夢のような話ではありません。

そう考えると、やはり扱いが難しいというのが正直な感想です。

実証された効果だとは思いますが、**劇的な効果があるわけではありません。**そして、何より実践が簡単ではない。学習内容を音声に録音する手間や時間を考えると、十分に効率的とはいえない気もします。ただ、外国語学習の教材のようにあらかじめ音声化されたものを利用できるならば、寝る前に勉強して、さらに寝た後も試してみる価値はあるかもしれませんね。

ただ、**睡眠学習以上に、科学的に実証されているのが、徹夜や短時間睡眠による脳へのダメージ**です。睡眠学習を試そうとして、意識するあまり眠れなかったり、音声が流れた瞬間目が覚めてしまったりして寝不足に……といった結果に終わると逆効果になりかねません。

寝つきのよさ、眠りの深さに自信がない方は慎重になさってください。

まとめ

睡眠学習に劇的な効果はない。それより徹夜や短時間睡眠による脳へのダメージに注意する。

こんなときには、こんな方法がおすすめ！ランキング②

この本で紹介している勉強法の中で、科学論文の考察や
僕自身の個人的な検証に基づいて、特におすすめの方法を、
ニーズ別にランキング形式でまとめました。
よかったら、ぜひ参考にしてください。

困ったときにおすすめの方法 BEST 5

❶眠い
眠気撃退には、コーヒーよりも「踏み台昇降運動」が有効 → P144

❷やる気がでない
やり始めれば、脳は勝手に「やる気」になる → P92

❸集中できない
「飽きっぽい」人の集中力を高める「ノイズ」の効果 → P128

❹勉強がつまらない
「つくり笑い」で脳をだましてつまらない勉強法を面白くする → P102

❺テストで実力を発揮したい！
テスト直前の「空気椅子」で脳血流量を一気に上げて
アウトプットを最大限に高める → P202

知っておくと得する方法 BEST 5

❶夜勉強するより朝勉強したほうが、
脳への定着率が圧倒的に上がる → P150
❷「空腹」が記憶力を研ぎ澄ます → P154
❸「タイムラプス勉強法」の「オーディエンス効果」 → P124
❹注意力、集中力、記憶力の底上げにヨガが効く → P86
❺マンガで学ぶと理解が深まり記憶が定着する → P46

Chapter 6

成績が伸びないのですが、どうしたらいいですか？

36

英会話は「聞き流す」だけでは身につかない！

やるべきこと
英会話学習は、リアルなコミュニケーションが一番

英語の聞き流しには学習効果はない!?

聞き流すだけで、英語が話せるようになる。

魅力的なフレーズですが、現実はそう甘くはありません。ただ聞き流しても、英語は身につきません。単語もフレーズも覚えられません。そこには裏があって、聞き流しているようで聞き流さずにちゃんとインプットできている仕組みがあるんですね。

さて、ここでは、私がおすすめする、科学的に効果が認められている英語の勉強法を紹介しましょう、

まず紹介するのは、英語テストのＴＯＥＩＣ対策。ウィスコンシン大学のクールの研究です。

【実験内容】

アメリカ人の乳児に、12回に渡って初めての中国語に触れさせた。各セッションを①「人間が話しかける」、②「モニターを通して行う」、③「クマのぬいぐるみの映像を見せながら音声だけを聞かせる」という条件で実施した。

この結果、②と③では学習効果がないことが判明しています。**生の人間との直接のコミュニケーションでないと、ただの雑音としてしか捉えられない**ということです。

言語の習得には、「臨界期」という時期までにことばを聞くのが重要で、生後6カ月から8カ月までの期間が最初の臨界期という説があります。この期間に耳にしたことばを脳が処理することで、必要な言語を習得できるように脳が変わっていくのです。これは母語以外にもいえることで、新たに接した言語＝外国語に対しても脳が処理をして、第二言語として母語と切り分けて理解できるようになっていきます。

臨界期についてはさまざまな意見がありますが、「生の人間とのコミュニケーションが大事」という研究結果は興味深いものがあります。

ある程度成長した私たちなら、それまでに身につけてきた知識で、モニター経由でも外国語を学べます。オンラインであれ、**直接話しかけられると、学習効果は高い**といえるでしょう。

また、名古屋外国語大学の田地野によると、ネイティブが文法をほぼ完全に習得するのが5歳頃だとして、それまでに1万5000時間から2万時間英語に触れるのに対して、日本の学校で英語を学習する時間は、中学と高校を合わせても1000時間程度にしかならないそうです。しかも、日本では臨界期を過ぎた後に学ぶわけですから、習熟度の違いに大きな差が出るのは当然です。

昔から、外国語を学ぶには現地に滞在するのが一番といわれますが、それは、母語が通じない環境に置かれる強制力に加えて、インプットの質的にも、量的にも、最も効率のよい環境であるというわけです。

まとめ

英語のスキルを身につける最善策は、とにかく英語を使ったコミュニケーションを実践することである。

37

「テスト形式」のアウトプットで短期記憶を長期記憶へ深化させる

やるべきこと 復習にテスト形式を取り入れる

資料を読み込むより考えるテストのほうが記憶に残る

せっかく勉強するのだから、勉強したことを絶対に忘れないようにしたい。これは、勉強している人なら誰しもが思うことですよね。

そんな方のヒントになる、パデュー大学のカーピックとワシントン大学セントルイス校のローディガーによる研究を紹介しましょう。

【実験内容】
大学生40名に40のスワヒリ語と英語の単語のペアを覚えさせ、一度テストを実施した。その後、学生を以下の4グループに分けてスワヒリ語の再学習（単語とその訳語を見る）と再テスト（単語を見て訳語を自分で考える）を繰り返させてから、1週間後に再テストを実施した。

A：全単語の再学習と再テストをする
B：直前のテストで不正解の単語のみ再学習、全単語を再テストする
C：全単語を再学習、直前のテストで不正解の単語のみ再テストする
D：直前のテストで不正解の単語のみ再学習と再テストをする

その結果、グループAとBの平均点は約80点、CとDの平均点は約35点という結果になりました。最初のテストの平均点は約30点です。

最初のテストの後の勉強は、2回目のテストまで再学習→再テストを、再テストが全問正解になるまで、繰り返しました。A～Dそれぞれに学習内容が異なるため総勉強時間に差があり、グループBとCはグループAの約75%、グループDはグループAの約50%になります。

その点を踏まえると、グループBの効率のよさが目につきます。

忘れないように短期記憶から長期記憶へ移行するには、海馬に重要な情報だと感じ

させることが大切です。そして、その方法論としては、資料をただ読むよりも、思い出そうと真剣に考えるテスト形式が明らかに有効であるといえるでしょう。

もちろん、テストで正解を答えるためには最低でも一度覚えなければいけないので、教科書や参考書などのテキスト、資料をあたることは必要不可欠です。

その上で、**復習をするときは、テストという実戦形式も導入しましょう。**

テストをすれば「自分が今どれだけ覚えられているか」ということを確認できるし、テスト結果を見て、**「これはもう忘れないだろう」と確信できれば、**この実験のグループBのように、**以降の再学習は割愛することもできます。**

無駄に使う時間がなくなれば、おのずと勉強の効率がアップしますよね。

まとめ

復習に資料を読み込むだけでなく、テスト形式を導入すると、効率もよくなるし、成果も上がる。

38

復習効果を最大限に高める「1：5の法則」

やるべきこと☞ 勉強してから間隔をあけて復習する

勉強してからすぐの復習は、長期記憶の定着には不向き

せっかく勉強するのだから、勉強したことを絶対に忘れないようにしたい。

これは、勉強している人なら誰しもが思うことですよね。

そのためには、やはり復習を繰り返して長期記憶にするのが肝心。**忘れっぽい人は「集中学習」より「分散学習」**という話をしましたが、ここではさらに具体的な復習のタイミングを紹介しましょう。

それは、**「1：5の法則」**です。


【実験内容】

カリフォルニア大学サンディエゴ校のセペダらによる研究。

歴史的な事実を覚える全32問の勉強に取り組み、勉強→間隔①→復習→間隔②

↓テストという流れで、参加者1354名を間隔①と間隔②の長さでグループ分けした。

この結果、テストが勉強から7日後の場合、間隔①は1～2日、テストが35日後の場合は約6～7日後に復習をすることで成績が最も高くなりました。ちなみに、勉強してすぐに復習する集中学習は、間隔②がどんな数字でも最も成績が低くなりました。やはり**集中学習は、長期記憶の定着には不向き**のようです。

それでは「1：5の法則」とはどういうものなのか。

これは、間隔①を間隔②の20％程度、すなわち両者を1：5にする方法です。

たとえば、**テストが勉強してから1カ月後なら約5日後、2カ月後なら約10日後に復習する**わけです。よい成績を出したいテストや試験のゴールが決まっている方は、ぜひ復習のスケジュールづくりの参考にしてください。

分散学習を取り入れるときに気になるのが、2回目以降の復習です。

テストまでの期日が短ければ一度でいいかもしれませんが、1年後、3年後などと長期的に取り組む場合は、さすがに何度か復習を繰り返すほうがいいでしょう。

2回目以降の復習のタイミングについて参考になるのが、前項でも紹介した、カーピックとローディガーの別の研究です。

彼らは、実験参加者に単語を覚えさせ、その復習として小テストを3回行った後、①「（3回目の復習の）10分後に実施」と②「2日後に実施」という2グループで最終テストを実施しています。

さらに、それぞれのグループは、

A：「5：5：5の間隔」

B：「1：5：9の間隔」

という2つに分かれて復習を行ったのです。

すると、①ではグループBの成績がよかったのですが、②ではグループAが上回る結果になりました。つまり、**等間隔で復習したほうが長期記憶に結びつきやすい**という結論です。

このグループBの復習のやり方は、拡張分散学習というやり方です。61ページで「近年は拡張分散学習の効果に疑問を呈する研究も増えています」と述べましたが、カーピックとローディガーによるこの研究は、まさにそれです。

拡張分散学習が正解であれ、この研究結果のように不正解であれ、大切なことがあります。それが、自分にとって無理のないスケジュールで勉強、復習することです。

拡張分散学習の効果を信じているのに、復習のために使える時間の間隔が等間隔になって、「勉強効率が下がりそう……」などと悩んでしまっては本末転倒なので気をつけましょう。

まとめ

テストに向けて復習するタイミングは、短期なら勉強してから数日後、長期なら等間隔で複数回を意識する。

Chapter 7

実力が発揮できないのですが、どうしたらいいですか？

39

テスト直前の「空気椅子」で脳血流量を一気に上げてアウトプットを最大限に高める

やるべきこと
テスト本番前に下半身の筋肉を刺激する

空気椅子の体勢で問題を解くと成績が2倍に上がった！

「模試の成績はよかったのに……」

「資格取得はほぼ間違いないといわれていたのに……」

勉強は順調に進んでいたけれど、プレッシャーに負けて本番で実力を出しきれなかった……といったことはままあります。１００の実力を試験や面接で50％しか発揮できなかった人よりも、60の実力を１００％発揮した人のほうが高評価を受けるケースは、どうしても発生します。

勉強においても、「心を整える」ことは、非常に重要なポイントなのです。

といっても、プレッシャーに弱い方が、いきなり「プレッシャーに強い人間」になるのは難しいところがあります。まずは**「プレッシャーに勝てるかも？」と脳をだます方法を実践する**ようにしましょう。

脳をだまし続けて成功体験を積み重ねれば、本番で実力を発揮できるプレッシャーに強い人に変われるかもしれません。

最初の実力発揮方法は、「空気椅子」。

南イリノイ大学のヒルらによる研究をご紹介します。

【実験内容】

15人を対象に、身体測定をして20秒間直立した後、空気椅子をするグループ、直立するグループに分かれ、3つの硬さが異なる床でそれぞれの課題を行わせて、脳波を計測した。

結果、空気椅子をしたグループは、そうでないグループより最大2倍の成績になるテストがあるなど、総じて成績がよくなりました。

ポイントは、空気椅子が下半身をいじめるトレーニングである点です。ふくらはぎは、全身に血を巡らせるための「第二の心臓」と呼ばれます。その筋肉に負荷をかけることで、運動を終えた後に一気にポンプ機能が活発になって**血流がよくなり、脳を活性化させた**のかもしれません。

単純に血流をよくするだけなら、有酸素運動のほうがいいかもしれませんが、時間もかかるし、場所も必要です。テストの本番直前で緊張してきたときに、「ちょっとジョギングしてきていいですか？」というわけにはいきませんからね。

対して、**空気椅子はその場でできますし、体力のない方なら、ほんの少しで、かなり負荷の大きな運動になります。**空気椅子は、それだけ、短時間で血流を改善するトレーニングだということです。血流よりも、プレッシャーにのまれそうな体に刺激を与えて目を覚まさせることで、結果的に実力をより発揮できるのでしょう。

まとめ

本番で緊張してきたら、空気椅子の姿勢で下半身に刺激を与えると、血流がよくなって脳が活性化する。

40

「トイレを我慢」すると脳のアウトプットが研ぎ澄まされる

やるべきこと　トイレを我慢して勉強してみる

尿意が切迫すると だまされにくい思考になる

本番前に緊張がピークに達して、トイレに行っておくのを忘れた！　走ってでもトイレに駆け込むか、それとも我慢して終わってから行くか。我慢したままにすると、そちらに意識がいって実力を発揮できないような気がしますが、トゥウェンテ大学のトゥックらによる研究を見ると、「意外にそれも悪くないのかも……」と思えるかもしれません。

ちなみに、この研究はイグノーベル賞を受賞しています！

イグノーベル賞は、なんとなく、変な研究が受賞するイメージをお持ちの方が多いかもしれません。実際に皮肉のようなニュアンスを込めて贈られることもありますが、基本的には、面白く興味深い研究に日の目を見てほしいという思いを込めて賞が授与されるものなのです。

２０１０年に「二次元物質グラフェンに関する革新的実験」でノーベル賞を受賞した物理学者アンドレ・ガイムは、２０００年に「カエルの磁気浮上」でイグノーベル賞も受賞しています。

彼は唯一のノーベル賞、イグノーベル賞のダブル受賞者として知られていますが、ほかにも多数の超一流の学者がイグノーベル賞を受賞しています。


トイレを我慢する話に戻しましょう。

トゥックらは４つの実験を行っています。すべての実験内容を紹介すると、それだけで紙幅が尽きてしまうので結果を簡単にまとめさせていただきます。

たとえば、赤色で「青」と表示された字の色を尋ねると、青色で「青」と表示された字の色を尋ねたときよりも反応が遅れます。この効果を使った課題を「ストループ課題」といい、脳の反応を見る実験でよく使われています。

このストループ課題を用いて、大学生１９３名に表示された単語の意味や色を答えさせたところ、誤回答の数と尿意との間には有意な相関は見られませんでした。そして、単語の色の回答については、尿意が切迫する人ほど、応答時間が短くなったのです（単語の意味の回答の応答時間は、尿意の切迫度合いとの相関なし）。

つまり、**トイレを我慢しているときにテストをしても、誤回答は増えないかもしれないし、問題によってはプラスにすらなるかもしれない**——とこの実験は教えてくれているわけです。

別の実験では、大学生122名を、50ミリリットル水を飲むグループと700ミリリットルの水を飲むグループとに分け、45分の作業を実施した後、「明日16ドル」もらうのか、「35日後に30ドル」もらうのか、どちらがよいかを選ばせています。

すると、後者の膀胱圧が高く、必然的に尿意の切迫感が高い人が多いグループのほうが、短期的利益に目がくらまずに、35日後に30ドルを受け取ることを選ぶ傾向が出ました。

つまり、**トイレを我慢している状態だと、より長期的で有益な報酬を選択する可能能**

性が高くなるということです。

なぜ、こんな結果が出るのでしょうか？

考えられているのは**「抑制」の効果**です。

尿意の切迫感が高まり、トイレに行けない状態になると、そのまま漏らすわけにはいかないので、我慢できるように脳が抑制の信号を出します。その効果が尿意以外にも波及して、単語の文字と色にだまされる反応や、短期的な少ない利益に目がくらんでしまう反応も抑制されるというわけです。

だからといって、「尿意をあえて我慢してテストに臨みなさい」と言っているわけではありませんからね。

もしもそういう状況に置かれてしまったなら、この研究結果を思い出して、「それほど追い込まれた状況ではない」と、少しは安心できるのではないかということです。

そして、その**心の余裕が、実力の発揮につながる**ことはあると思います。

ただ、この実験のことを思い出せないと、尿意の発現とともにパニックに陥る可能性はあります。本番でそんなことにならないように、一度はトイレを我慢した状態で勉強してみるのもいいかもしれません。

「イグノーベル賞のあの研究もあったし……」と思い、冷静に尿意と付き合える練習をしておくと、本番でも対応できるはずです。

ちなみに、限界レベルの尿意に襲われているときは、絶対にトイレに行きましょう！

メルボルンのコールフィールド病院のマシューズの研究では、尿意が限界レベルに達すると、集中力や記憶力に大きな悪影響を及ぼすという結果が出ています。

まとめ

本番前に尿意を感じたら、時間に余裕がなければあきらめる。そのほうが実力を発揮できることもある。

41

脳の情報処理速度を最速にし、地頭を劇的によくするのは「そろばん」だった

やるべきこと☞ そろばんや暗算に親しんでおく

そろばん熟達者はリラックス状態でも脳をフル活用できる

本番だからと意識せずにやれるといいんだけど……。

そうなんです。余計なことを考えずに、直観的に問題を解くことができれば、実力をそのまま発揮できる可能性が高いと考えられます。

そんなことが果たしてできるものなのでしょうか？

もしかしたらポイントになるのでは――と思えるのが、そろばんです。

若い方などは、あまりご存じないかもしれませんが、**そろばんの熟達者は、そろばんを弾く速度ももちろんすごいのですが、そろばんを使わずとも、暗算の能力がとてつもなく高い。**

そんなそろばんの熟達者の脳の働きについては、さまざまな分析がなされているのですが、ここではそのような先行研究にも参加している、慶應義塾大学の今井と青山による研究をご紹介します。

【実験内容】
そろばんの熟達者19名と対照群となる未習者17名を対象にして、暗い部屋でリラックスし、何も考えない状態で、目を開ける場合と目を閉じる場合で脳波を計測した。

その結果、目を開けているときは差がなく、目を閉じたときは、熟達者のほうが集中に関連するシータ波とベータ波の帯域で脳波の活動が低いことがわかりました。また、両帯域で左半球の下前頭回の活動にも差がありました。

これだけだと、わかりにくいですね。もう少し詳しく説明すると、下前頭回は、言語機能と関係する脳の部位で、先行研究により、**そろばんの未熟者は数的情報を一度言語情報に置き換えてから計算する「言語的戦略」、熟練者はイメージで捉える「視**

空間的戦略」を使うことがわかっています。
つまり熟達者は、数的情報を処理する際に、言語機能に関する部位である左下前頭回が、あまり活動しないと考えられるわけです。

このことから、そろばんが得意な人は、言語情報に変換するステップを介さないため、計算をするときにより少ない手順で計算できることがわかります。見方を変えれば、そのような脳の使い方ができれば、計算能力が高まるのかもしれません。

今井が中心となって行った別の実験でも、**そろばん熟達者は、脳全体を使って問題を解く**ことがわかっています。


そして、もう1つ興味深いのが、そろばん熟達者は、「デフォルトモードネットワーク」に関する部位の活動でも優位であった点です。

デフォルトモードネットワークとは、簡単にいうと「集中」の反対。

つまり、**そろばんの熟達者は、寝ているときやボーッとしているときのようなリラ**

ックスした状態でも脳を使えているわけです。

完全にイコールで結びつけるのは乱暴かもしれませんが、そのような脳の使い方をできる人は、よりプレッシャーを感じず、平常時の実力を本番でも発揮しやすいといえそうです。

ちなみに、ラップのフリースタイルバトルを見たことがある方はおわかりいただけると思うのですが、熟達者同士の戦いだと、その場その場で「前もって考えていたのでは？」と思うくらいの（仕込んだネタを使うケースもあるそうですが）巧みすぎることばが飛び交います。

私は個人的に、ラッパーの脳波を測定したことがあるのですが、そのときも言語野が強く働くのかと思いきや、ほぼ寝ているときに近い、デフォルトモードネットワーク状態でした。

結果を見ると、だからこそいろいろなことば同士が、パッと結びつくのだろうと納得したものです。

このように、**本能的、直観的に脳を使えるようになると、大舞台でも実力をコンスタントに発揮できるようになる**のではないでしょうか。

私はフリースタイルラップの練習方法はよくわからないので、みなさんにおすすめするならそろばんということになります。最初から暗算の練習をすると、文字、言語ベースでの暗算がただ得意になってしまうかもしれないので、まずはそろばんを無心に弾いてみてはいかがでしょう。

そろばんの熟達者は、個人的にも何人か知っていますが、理系に限らず、とにかく頭がいい方ばかりです。そろばんを練習することで、計算能力だけでなく、地頭をよくする効果も期待できる気がします。

まとめ

実力通りの結果を得たいなら、リラックスした状態で脳をフル回転できる「そろばん脳」を手に入れる。

42

緊張で心臓がバクバクするのは、実力発揮準備万端のサイン

やるべきこと☞「不安」を「興奮」と捉え直す

「不安」でドキドキも「興奮」でドキドキも体の反応は同じ

試験本番。緊張度もマックス。

ちゃんと実力を発揮できるのか、不安が押し寄せてきます。

もちろんそうならないように準備できるといいですが、本番当日に緊張や不安から心拍数が上がって心臓がバクバクしてきたら、自分では止めたくても止められません。

それが焦りにつながって、パフォーマンスが下がることもあります。

そこで、そんなときの特効薬になりそうなのが、ハーバード大学のブルックスが提唱する対処法です。なんと、**「私は不安だ」という気持ちを「私は興奮している」と自分に言い聞かせる**だけでいいというのです。

【実験内容】

100人以上の被験者を、「私は不安だ！」という群、「私は興奮している！」という群、何も言わない群に分け、見知らぬ人の前で歌わせたり、ビデオカメラの前でスピーチをさせたり、計算問題を解かせたりした。そして、パフォーマンスを評価した。

結果、どの実験課題においても、実験前に「私は興奮している！」と述べた被験者たちは、よいパフォーマンスを見せました。

たとえば、ピッチやリズムなどで歌の正確度を見る実験では、「私は不安だ！」と声に出して述べた人は52・98％、「私は興奮している！」と言った人は80・52％、何も言わなかった人は69・52％という大きな違いが出たのです。

私たちは、**緊張しているときも、興奮しているときも、心臓がドキドキします。どちらも体の反応としてはほとんど同じ**なのです。

体としては、ドキドキしているのはエンジンがかかっている状態ですから、大事な勝負の前でドキドキしているときには、無理に落ち着こうとするよりも、「私は興奮している」「私はワクワクしている」と自分に言い聞かせることで、脳は体が興奮していると勘違いしてパフォーマンスがよくなるというわけです。

この研究のポイントは、「不安」を「興奮」と捉え直すことです。

脳はリラックス状態よりも興奮状態にあるほうが、ポジティブな状態です。ブルックスによれば、不安な状態からリラックスした状態に落ち着かせるよりも、不安な状態から興奮状態に移行したほうが効率的だということです。

ちなみに、不安から興奮へのポジティブ変換は、声に出さなくても、心の中で行うだけでも効果があるそうですよ。ピンチはチャンスに！

まとめ

本番での緊張をやわらげるには、緊張してきたことを、興奮してきたと自分に言い聞かせる。

43

プレッシャーをかき消す「イフ・ゼン・プランニング」

やるべきこと

不安は「見える化」すると消失する

「不安」の原因が空腹感なら何かを食べれば解消する

プレッシャーのかかる場面で実力を発揮しきれない背景にあるのは、「不安」。

取り除けるものなら、取り除きたいですよね。

でも、**「不安」も「馴化」と同様に、私たちが生きる上で必要不可欠なもの**なのです。

たとえば極端な例ですが、空腹状態で不安を覚えなければ、そのまま餓死してしまうかもしれません。「おなかがすいた。何か食べなくちゃ……」と不安になるからこそ、その不安を解消するための食事という行動につながるわけです。

外食や買い物の際に、口コミサイトなどを参照するのも同様で、利用者の多くは、外れを引きたくないという不安があるから、ほかの人の意見を参考にするのです。

不安と付き合う上で大切なのは、「何に対する不安なのかを明確にする」ことです。

空腹感がその元凶だとわかれば、対処も可能です。

勉強も、本番についての不安なら、その元凶が何かわかれば、解消するのは不可能ではありません。その意味で、勉強法ではないのですが、不安への対処法のヒントになる研究をご紹介します。

ニューヨーク大学のゴルウィッツァーが提唱している「イフ・ゼン・プランニング」という方法があります。これは、**「もし（if）〇〇〇〇すれば、そのときは（then）△△△△△△する」**とあらかじめ決めておくというものです。

コンスタンツ大学のアヒトジガーらが行った、テニス選手を対象にした実験です。

【実験内容】

１０７人のテニス選手を、試合の当日に「試合に勝つために一球入魂でプレーする」と目標を書いた紙に下線を引かせて署名してもらったグループ、同じ目的を目指すが、イフ・ゼン・プランニング（たとえば、「集中力が足りない」などネガティブな気持ちが起こったら「落ち着くようにする」のように何をするかを述べる）をするグループ、何もしないグループの3つのグループに分けて、本人およびトレーナーやチームメイトにパフォーマンスなどを評価してもらった。

結果は、イフ・ゼン・プランニングをしたグループの評価が劇的によかったのです。

不安をただ恐れるのではなく、ちゃんと向き合うことで、結果的に不安を解消できることもあります。勉強効率に不安があるから、人は勉強法の本を手に取るわけです。

どうか不安をそのまま放置せずに、どんな不安かを分析してみてください。

仮にそれがすぐに対処できないものでも、わかっていれば、開き直って緊張にのまれる割合を少しは減らせるはずです。

まとめ

不安な気持ちを、漠然と「不安だ」と思わないこと。その原因が何かわかれば対処法も見つけやすくなる。

44

アウトプットを妨害する「ワーキングメモリ」内の「不安」をリセットする

やるべきこと☟

試験などの前に、不安に思うことを書き出す

不安なときは不安を書き出したほうが成績がよくなる

それまでなんともなかったのに、直前になったら急にドキドキして不安になってきた、なんてこともありますよね。

そんなときも、不安のタネを探すことです。これはもう、科学的な検証を抜きにして、「そうなんだ！」とポジティブに信じてください。

紹介するのは、シカゴ大学のラミレスらによる研究です。

【実験内容】
被験者を2つのグループに分けて、一方は試験直前の10分間に、「試験について不安に思うこと」を紙に書き出させ、もう一方はそうしなかった。

すると、**不安を書き出したグループのほうが、対照群よりもよい成績になった**のです。これだけだと、試験前に手を動かして、脳への刺激があったことが原因である可能性もありますが、ラミレスらはほかの研究と照らし合わせて、成績アップの要因は不安を書き出したこと、と結論しています。

では、なぜこんな結果になるのか。

原因と考えられているのが、ワーキングメモリの解放です。短期記憶よりもさらに短い間記憶をとどめておくワーキングメモリは、勉強だけでなく、試験にも非常に重要です。その意味で、ノースカロライナ州立大学のクラインと北テキサス大学のボールズらの研究も参考になります。

実験では、不安な気持ちになった新入生の35人に、大学に来た気持ちや感想を毎日20分、2週間にわたって書き綴ってもらいました。7週間後、普通のトピックを書いてもらった36人よりも、メンタルな部分の改善だけでなく、ワーキングメモリの大幅な改善が見られました。

また、クラインとボールズの別の実験では、ネガティブな体験を書いてもらった34人は、ポジティブな体験を書いてもらった33人、普通のトピックを書いてもらった34人よりもワーキングメモリの改善が見られ、余計なことを考えなくなりました。

ワーキングメモリには、目の前の不安も収められてしまいます。それを、書き出すことで解放するわけです。ほかにも、ジャンルは違いますが、ラフバラー大学のスウェインとラフバラー大学のジョーンズによると、バスケットボールの選手たちが不安を認めることでパフォーマンスが向上したとする研究もあります。

はっきりいってしまうと、人生から不安はなくなりません。

人間が生存するために必要な本能ですからね。無理に否定するのではなく、上手に付き合って勉強効率をアップさせましょう。

まとめ

不安はいつだってやってくる。不安な気持ちになったら、そのタネを書き出すだけで余計なことを考えなくなる。

おわりに

ここまでお読みいただき、ありがとうございました。

いかがでしたでしょうか？

「これまで覚えるのが苦手で悩んでいたけれども、実はやり方自体が間違っていた」「自分がこれまで正しいと思っていた勉強法が、実は逆効果だった」など、なにか気づきはあったでしょうか？

みなさんにとってよりよい勉強法を見つけるヒントとなっていたら、うれしいです。

もしかしたら、みなさんの中には、「科学的に証明された、絶対に忘れない正しい勉強法だと言いながら、こんな方法でいいの？」と思った方もいらっしゃるかもしれませんね。

「そもそも『科学的』って何だよ」という声も、たびたび耳にするのは事実です。

本編でも少し触れましたが、この本の最後に、「科学的」なものに対する私の考え方について、みなさんに少しお伝えできればと思います。

研究者たちが行う、いわゆる科学的とされる研究の数々は、どれだけレベルの高いものであっても、歴史に残るような、人類の発展に寄与する壮大なものであっても、スタートは単なる「思いつき」です。

その「思いつき」が科学的に価値あるものだと認められるためには、同じ分野の研究に従事する、世界の研究者たちが目にする場所できちんと発表する必要があります。実験やリサーチをして、自分の「思いつき」を検証して論文にまとめ、その内容を審査してもらうのです。これが査読といわれるものですが、これをクリアして、科学誌などに掲載されることで、その「思いつき」が初めて、精一杯の知恵を込めた「研究」

と認められます。「科学的」と認められるためには、時間と労力が必要なのです。

科学的な研究から導き出された結論が、唯一絶対の正解とは限りません。科学的だと認められたものであっても、後に間違っていたと否定されることや、1つの結論に至らず、研究者たちの間で意見が割れるものも少なくありません。それどころか、後世では不正解とされることもあります。科学を信じないのも問題ですが、科学を盲信するのもよくないんですね。

研究は、常に進化しているものなのです。

私がお伝えしたいことは、「科学的な研究の成果」の使用上の注意みたいなものです。「科学的な研究の成果」がどういう性質を持っているものなのか理解していただいた上で、本書で紹介したような、現時点で「科学的に効果がある」あるいは「科学的に正しい」といえるメソッドをいろいろ試していただければ、と思っています。

勉強も楽しめば
きっと結果につながる

さて、勉強の話に戻りましょう。

好きこそ物の上手なれとは言いますが、勉強は、楽しくするのが一番です。

たとえば、幼稚園生くらいの小さな子どもたちが、大好きな電車の種類を難なく覚えて、見た瞬間に「○○鉄道の○○年製の○○車両で、特徴は……」と言えてしまう、そんな感じです。彼らは楽しんで莫大な知識をインプットして、記憶している。

学生の中にも、勉強は嫌いだと言いながら、好きなゲームのストーリーを詳細に暗記して、ゲームの中の歴史や人間関係、地理、加えて武器や攻撃の性質などをほぼ完ぺきに覚えて、どんどんレベルアップして難なくクリアするゲーマーがいますが、それは、考えてみれば、ものすごい量の勉強をこなしているのと同じことなんです。

楽しければ、脳にどんどんインプットできるし、記憶の定着も高まります。アウトプットもスムーズになります。これが勉強でできたら最強です。

もし、勉強そのものを楽しめないようなら、前向きに取り組める状態に、自分の気分を持っていくことが大切です。それこそ、ゲームが好きなら、好きなゲームで気分転換をするのもよいでしょう。くすっと笑ってしまうような楽しいやり方で勉強をするのも1つの手です。本書でも面白い研究のアクションをいくつかご紹介しましたので、それを実践してみるのもよいでしょう。

脳は、楽しいことが大好きです。脳は楽しめば楽しむほど、活性化します。インプット力もアウトプット力も高まるんです。そして、絶対忘れなくなります。

先ほど、勉強が苦手だという凄腕ゲーマーの例を出しましたが、ゲームが大好きで、ゲームは上達するけど、勉強はできない――とお悩みの方。その理由はシンプルで、ゲームは楽しんでいるから上達するのです。勉強も楽しめれば、必ず上達します。

では、どうすれば楽しめるのか？

心理学や脳科学では、「体が先、脳が後」とよくいわれています。だから、体で「楽しい」を演出して、脳をだましてしまいましょう。ニコッと口角を上げて「楽しい！」と自分に言い聞かせながら勉強するだけでも、確実に勉強効率が上がると実証研究でいわれていることはもとより、私は自分の経験からも確信しています。つくり笑いであっても、体が笑顔をつくれば、脳が笑顔を感じて「楽しい」と感じるんです。

今勉強が好きではない方は、少しでも楽しくできそうな研究を、今勉強が好きな方は、もっと好きになれそうな研究を参考にして、自分なりの勉強法を確立してください。その先に、必ずやベストな結果も待っているはずです。

Let's enjoy studying!!!

- A meta-analysis. Intelligence 2010; 38(3):314-323
- Aarts, H., Custers, R., & Marien, H. (2008). Preparing and motivating behavior outside of awareness. *Science,* 319(5870), 1639.
- Achtziger, A., Bayer, U. C., & Gollwitzer, P. M. (2012). Committing to implementation intentions: Attention and memory effects for selected situational cues. *Motivation and Emotion,* 36(3), 287-300.
- Analytis, P. P., Barkoczi, D., & Herzog, S. M. (2018). Social learning strategies for matters of taste. *Nature. Human Behavior,* 2, 415-424.
- Antony, J. W., Gobel, E. W., O'Hare, J. K., Reber, P. J., & Paller, K. A. (2012). Cued memory reactivation during sleep influences skill learning. *Nature Neuroscience*, 15(8), 1114-1116.
- Askvik, E. O., van der Weel, F. R. , & van der Meer, A. L. H. (2020).The Importance of Cursive Handwriting Over Typewriting for Learning in the Classroom: A High-Density EEG Study of 12-Year-Old Children and Young Adults. *Frontiers in Psychology*. doi:10.3389/fpsyg.2020.01810
- Blomstrand, P, & Engvall, J. (2011). Effects of a single exercise workout on memory and learning functions in young adults–A systematic review. *Translational Sports Medicine*, 4, 115-127.
- Bohay, M., Blakely, D. P., Tamplin, A. K., & Radvansky, G. A. (2011). Note taking, review, memory, and comprehension. *The American Journal of Psychology*, 124(1), 63-73.
- Brickman, A. M., Khan, U. A., Provenzano, F. A., Yeung, L. K., Suzuki, W., Schroeter, H., Wall, M. , Sloan, R. P., & Small, S. A. (2014). Enhancing dentate gyrus function with dietary flavanols improves cognition in older adults. *Nature Neuroscience*, 17, 1798–803.
- Brooks, A. W. (2013). Get excited: Reappraising pre-performance anxiety as excitement. *Journal of Experimental Psychology*: General, 143, 1144–58.
- Campion, M. & Levita, M. (2014). Enhancing positive affect and divergent thinking abilities: Play some music and dance, *The Journal of Positive Psychology: Dedicated to furthering research and promoting good practice*, 9:2, 137-145.
- Cepeda, N. J., Vul, E., Rohrer, D., Wixted, J. T., & Pashler, H. (2008). Spacing effects in learning: A temporal ridgeline of optimal retention. *Psychological Science*, 19(11), 1095-1102.
- Christman, S. D., Garvey, K. J., Propper, R. E. & Phaneuf, K. A. (2003). Bilateral eye movements enhance the retrieval of episodic memories. *Neuropsychology*, 17, 221-229.
- Ebbinghaus, H. (1885). Memory: A contribution to experimental psychology. New York: Dover.
- Furnham, A. & Allass, K. (1999).The influence of musical distraction of varying complexity on the cognitive performance of extroverts and introverts. *European Journal of Personality*,13(1), 27-38
- Furnham, A. & Bradley, A. (1997). Music while you work: The differential distraction of background music on the cognitive test performance of introverts and extraverts. *Applied Cognitive Psychology*, 11(5), 445-455.
- Furnham, A. & Strbac, L. (2002). Music is as distracting as noise: the differential distraction of background music and noise on the cognitive test 36 performance of introverts and extraverts. *Ergonomics*, 45(3), 203-217.
- Gnambs, T., Stasielowicz, L., Wolter, I., & Appel, M. (2020). Do computer games jeopardize educational outcomes? A prospective study on gaming times and academic achievement. *Psychology of Popular Media*, 9, 69-82.

・Gollwitzer, P. M. (1993). Goal achievement: The role of intentions. *European Review of Social Psychology*, 4, 141-185.

・Hartshorne, J. K., and Germine, L. T. (2015). When Does Cognitive Functioning Peak? The Asynchronous Rise and Fall of Different Cognitive Abilities Across the Life Span. *Psychological Science*, 26(4), 433-443.

・波多野文，関根崇泰，伊　智充，井原なみは，田中裕子，村上智子，衣川　忍，入戸野宏 (2015). 紙ノートとタブレット端末の使用が学習時の認知負荷に及ぼす影響―脳波を用いた検討―，信学技報 , 115 (185), HCS2015-48, 39-44.

・Hayati, M. and Fattahzadeh, A. (2006). The Effect of Monolingual and Bilingual Dictionaries on Vocabulary Recall and Retention of EFL Learners. *The Reading Matrix*, 6(2). 125-134.

・Helton, W. S. and Russell, P. N. (2015). Rest is best: The role of rest and task interruptions on vigilance. *Cognition*, 134, 165–173.

・Hill, C. M., DeBusk, H., Simpson, J. D., Miller, B. L., Knight, A. C., Garner, J. C., Wade, C., & Chander, H (2019). The Interaction of Cognitive Interference, Standing Surface, and Fatigue on Lower Extremity Muscle Activity. *Safety and Health At Work*, 10, 321- 326.

・Hirano, Y., Masuda, T., Naganos, S., Matsuno, M., Ueno, K., Miyashita, T., Horiuchi, J., & Saitoe, M. (2013). Fasting launches CRTC to facilitate long-term memory formation in Drosophila. *Science*, 339, 443-446.

・今井むつみ・青山敦 (2017). 珠算熟達者のワーキングメモリと直観の背後にある全脳の神経ネットワークの解明 , 2017 年慶應義塾大学術交流支援資金研究活動報告書 .

・Isen, A. M., Daubman,K. A., &N owicki,G. P.(1987). Positive affect facilitatescreative problem solving. *Journal of Personality and Social Psychology*, 52, 1122-1131.

・Joice, P. P. S., Manik, K. A., & Sudhir, P. K. (2018). Role of yoga in attention, concentration, and memory of medical students. *National Journal of Physiology, Pharmacy and Pharmacology*, 8(11), 1526-1528.

・金谷英俊 , 永井聖剛 (2016). 他者からの観察は変化の見落とし課題成績を低下させる , 映像情報メディア学会技術報告 , 40(37), 9-10.

・Karpicke, J. D., & Roediger, H. L. (2008). The Critical Importance of Retrieval for Learning. *Science*, 319(5865), 966–968.

・Klein, K., & Boals, A. (2001). Expressive Writing Can Increase Working Memory Capacity. *Journal of Experimental Psychology General*, 130, 520-533.

・向後智子 , 向後千春（1998）. マンガによる表現が学習内容の理解と保持に及ぼす効果日本教育工学会論文誌 , 22(2). 87-94.

・Kornell, N., & Bjork, R. A. (2008). Learning concepts and categories: Is spacing the "enemy of induction"? *Psychological Science*, 19, 585–592.

・Kuhl, P. K., Tsao, F.-M. & Liu, H.-M. (2003). Foreign-Language Experience in Infancy Effects of Short-Term Exposure and Social Interaction on Phonetic Learning. *Proceedings of the National Academy of Science*, 100, 9096- 9101.

・Libet, B., Gleason, C. A., Wright, E. W, & Pearl, D. K. (1983). Time of Conscious Intention to Act in Relation to Onset of Cerebral Activity (Readiness-potential). *Brain*, 106, 623-642.

・Ma, X., Yue, Z., Gong, Z., Zhang, H., Duan, N., Shi, Y., Wei, G. & Li, Y. (2017). The Effect of Diaphragmatic Breathing on Attention, Negative Affect and Stress in Healthy Adults. *Frontiers in Psychology*, 8, 874.

・前田健一，円田初美，新見直子 (2012). 好きな科目と嫌いな科目の学習方略と自己効力感，広島大学心理学研究，12, 45-59.

・Mangen, A., Walgermo, B. R., & Bronnick, K. (2013). Reading linear texts on paper versus computer screen: Effects on reading comprehension, *International Journal of Educational Research*, 58, 61-68.

・Matthews, G. (2015). Study focuses on strategies for achieving goals, resolutions. A study presented at the Ninth Annual International Conference of *the Psychology Research Unit of Athens Institute for Education and Research* (ATINER), Athens, Greece.

・Matthew, M. S., L., Snyder, P. J., Pietrzak, R. H., Darby, D., Feldman, R. A. & Maruff, P. T. (2011). The Effect of Acute Increase in Urge to Void on Cognitive Function in Healthy Adults, *Neurology and Urodynamics*, 30(1), 183-7.

・Mehta, R., Zhu, R. J., & Cheema, A. (2012). Is noise always bad? Exploring the effects of ambient noise on creative cognition. *Journal of Consumer Research*, 39(4), 784–799.

・森敏昭 (1980). 文章記憶に及ぼす黙読と音読の効果，教育心理学研究，2，57-61.

・Mueller, P. A., & Oppenheimer, D. M. (2014). The pen is mightier than the keyboard: Advantages of longhand over laptop note taking. *Psychological Science*, 25(6), 1159-1168.

・Nakata, T. (2015). Effects of expanding and equal spacing on second language vocabulary learning: Does gradually increasing spacing increase vocabulary learning? *Studies in Second Language Acquisition*, 37(4), 677-711.

・Nantais, K. M. & Schellenberg, E. G. (1999). The Mozart effect: An artifact of preference. *Psychological Science*, 10(4), 370-373.

・Nestojko, J. F., Bui, D. C., Kornell, N., & Bjork, E. L. (2014). Expecting to teach enhances learning and organization of knowledge in free recall of text passages. *Memory & Cognition*, 42(7), 1038-1048.

・Nittono, H., Fukushima, M., Yano, A., and Moriya, H. (2012). The power of kawaii: Viewing cute images promotes a careful behavior and narrows attentional focus. *PLoS ONE*, 7(9), e46362.

・大崎さつき，中山夏恵 (2008). 日本人英語学習者のための電子辞書使用，日英言語文化研究会（編）『日英の言語・文化・教育』三修社，339-348.

・Parker, A. , Parkin, A. , & Dagnall, N. (2013). Effects of saccadic bilateral eye movements on episodic and semantic autobiographical memory fluency. *Frontiers in Human Neuroscience*, 7, 1-10.

・Pietschnig, J., Voracek, M., & Formann, A. K. (2010). Mozart effect–Shmozart effect: A meta-analysis. *Intelligence*, 38(3), 314-323.

・Propper, R. E., McGraw, S. E., Brunyé, T. T., & Weiss, M. (2013). Correction: Getting a Grip on Memory: Unilateral Hand Clenching Alters Episodic Recall. *PLoS ONE*, 8(5), 10.

・Ramirez, G., & Beilock, S. L. (2011). Writing about Testing Worries Boosts Exam Performance in the Classroom. *Science*, 331, 211-213.

・Randolph, D. D., & O'Connor, P. J. (2017). Stair walking is more energizing than low dose caffeine in sleep deprived young women. *Physiology & Behavior*, 174, 128-135.

・Rauscher, F. H., Shaw, G. L., & Ky, K. N. (1993). Music and spatial task performance. *Nature*, 365, 611.

・Rehfeld K, Müller P, Aye N, Schmicker M, Dordevic M, Kaufmann J, Hökelmann A, & Müller, N. G. (2017). Dancing or Fitness Sport? The Effects of Two Training Programs on Hippocampal Plasticity and Balance Abilities in Healthy Seniors. *Frontiers in Human Neuroscience*.11, 305.

・Roediger, H. L., & Karpicke, J. D.(2010). Intricacies of spaced retrieval: A resolution. In A. S. Benjamin(Ed.), *Successful remembering and successful forgetting: A festschrift in honor of Robert A. Bjork*, 23-47, New York, NY: Psychology Press.

・Rosekind M. R., Smith, R. M., Miller, D. L., Co, E. L., Gregory, K. B., Webbon, L. L., Gander, P. H., & Lebacqz, V. (1995). Alertness management: Strategic naps in operational settings. *Journal of Sleep Research*, 4 (Supplement 2), 62-66.

・Rutishauser, U., Ross, I., Mamelak, A, Mamelak, A. N., & Schuman, E. M. (2010). Human memory strength is predicted by theta-frequency phase-locking of single neurons. *Nature*, 464, 903-907.

・Salas, C., Minakata, K., and Kelemen, W. (2011). Walking before study enhances free recall but not judgement-of-learning magnitude. *Journal of Cognitive Psychology*, 23 (4), 507-513.

・Shimizu K, Kobayashi Y, Nakatsuji E, Yamazaki M, Shimba S, Sakimura K , & Fukada Y. (2016). SCOP/PHLPP1 β mediates circadian regulation of long-term recognition memory. *Nature Communications*, 7, 12926.

・Siedlecki, J., Mohr, N., Luft, N., Schworm, B., Keidel, L., & Priglinger, S. G. (2019). Effects of flavanol-rich dark chocolate on visual function and retinal perfusion measured with optical coherence tomography angiography: A randomized clinical trial. *JAMA Ophthalmology*, 3731.

・Strack, F. Martin, L. L., & Stepper, S. (1988). Inhibiting and Facilitating Conditions of the Human Smile: A Nonobtrusive Test of the Facial Feedback Hypothesis. *Journal of Personality and Social Psychology*, 54 (5), 768-777.

・Studte, S., Bridger, E. & Mecklinger, A. (2015). Nap sleep preserves associative but notitem memory performance. *Neurobiology of Learning and Memory*, 120, 84-93.

・Swain, A. B. J. & Jones, G. (1996). Explaining performance variance: The relative contribution of intensity and direction dimensions of competitive state anxiety. *Anxiety, Stress and Coping: An International Journal*, 9, 1–18.

・Söderlund, G. B. W., Sikström, S., & Smart, A. (2007). Listen to the noise: Noise is benefi-cial for cognitive performance in ADHD. *Journal of Child Psychology and Psychiatry*, 48(8), 840-847.

・田中辰雄 (2020). ゲームによる学力低下に閾値はあるか－想起による大規模調査－. 国際大学 GLOCOM DISCUSSION PAPER_No.15(20-001).

・Tozuka, Y., Fukuda, S., Namba, T., Seki, T. & Hisatsune, T. (2005). GABAergic excitation promotes neuronal differentiation in adult hippocampal progenitor cells. *Neuron*, 47, 803-815.

・Tuk, M. A., Trampe, D., & Warlop, L. (2011). Inhibitory spillover: Increased urination urgency facilitates impulse control in unrelated domains . *Psychological Science*, 22(5), 627-633.

・Tulving, E.(1972). Episodic and semantic memory. In Tulving,E. & Donaldson, W. (eds), *Organization of Memory*. New York : Academic Press, 1972 : 381-403.

・Weinberg, L., Hasni, A., Shinohara, M., & Duarte, A. (2014). A single bout of resistance exercise can enhance episodic memory performance. *Acta Psychologica,* 153, 13-19.

・Wilhelm I, Schreiner T, Beck J, & Rasch B. (2020). No effect of targeted memory reactivation during sleep on retention of vocabulary in adolescents. *Scientific Reports*. 10, 4255.

・Zajonc, R. B. (1965). Social facilitation. *Science*, 149, 269-274.

・読書活動と学力・学習状況調査の関係に関する調査研究（静岡大学）https://www.mext.go.jp/b_menu/shingi/chousa/shotou/045/shiryo/attach/1302195.htmx

絶対忘れない勉強法

発行日　2021年 3月1日　第1刷
発行日　2021年 3月3日　第2刷

著者　堀田秀吾

本書プロジェクトチーム
編集統括　柿内尚文
編集担当　舘瑞恵
編集協力　洗川俊一
カバーデザイン　小口翔平＋三沢稜（tobufune）
本文デザイン　菊池崇＋櫻井淳志（ドットスタジオ）
校正　中山祐子

営業統括　丸山敏生
営業推進　増尾友裕、藤野茉友、綱脇愛、大原桂子、桐山敦子、
矢部愛、寺内未来子
販売促進　池田孝一郎、石井耕平、熊切絵理、菊山清佳、
吉村寿美子、矢橋寛子、遠藤真知子、森田真紀、
大村かおり、高垣真美、高垣知子
プロモーション　山田美恵、林屋成一郎
講演・マネジメント事業　斎藤和佳、志水公美

編集　小林英史、栗田亘、村上芳子、大住兼正、菊地貴広
メディア開発　池田剛、中山景、中村悟志、長野太介、多湖元毅
管理部　八木宏之、早坂裕子、生越こずえ、名児耶美咲、金井昭彦
マネジメント　坂下毅
発行人　高橋克佳

発行所　株式会社アスコム

〒105-0003
東京都港区西新橋2-23-1　3東洋海事ビル
編集部　TEL：03-5425-6627
営業部　TEL：03-5425-6626　FAX：03-5425-6770

印刷・製本　中央精版印刷株式会社

Printed in Japan ISBN 978-4-7762-1117-4